AS INTELIGÊNCIAS MÚLTIPLAS
E SEUS ESTÍMULOS

CELSO ANTUNES

AS INTELIGÊNCIAS MÚLTIPLAS E SEUS ESTÍMULOS

PAPIRUS EDITORA

Capa	Fernando Cornacchia
Foto de capa	Rennato Testa
Copidesque	Mônica Saddy Martins
Revisão	Maria Lúcia A. Maier

Dados Internacionais de Catalogação na Publicação (CIP)
(Câmara Brasileira do Livro, SP, Brasil)

Antunes, Celso
  As inteligências múltiplas e seus estímulos/Celso Antunes. – 17ª ed. – Campinas, SP: Papirus, 2012. – (Coleção Papirus Educação)

Bibliografia.
ISBN 978-85-308-0512-8

1. Inteligência I. Título II. Série.

12-08321   CDD–370.152

Índice para catálogo sistemático:
1. Inteligências múltiplas: Psicologia educacional   370.152

17ª Edição – 2012
12ª Reimpressão – 2025
Tiragem: 100 exs.

Exceto no caso de citações, a grafia deste livro está atualizada segundo o Acordo Ortográfico da Língua Portuguesa adotado no Brasil a partir de 2009.

Proibida a reprodução total ou parcial da obra de acordo com a lei 9.610/98.
Editora afiliada à Associação Brasileira dos Direitos Reprográficos (ABDR).

DIREITOS RESERVADOS PARA A LÍNGUA PORTUGUESA:
© M.R. Cornacchia Editora Ltda. – Papirus Editora
R. Barata Ribeiro, 79, sala 316 – CEP 13023-030 – Vila Itapura
Fone/fax: (19) 3790-1300 – Campinas – São Paulo – Brasil
E-mail: editora@papirus.com.br – www.papirus.com.br

O cérebro de uma pessoa, de qualquer pessoa, contém todo potencial de percepções, belezas e arranjos linguísticos, simbólicos, cinestésicos, pictóricos e lógicos que abrigam todo saber humano possível. Todo ser humano é saber em semente, pronto para brotar e florescer tão logo aprenda a construir-se em comunhão com o objeto imprescindível de todas as fantasias previsíveis – o mundo em que vivemos.

SUMÁRIO

	INTRODUÇÃO	9
1.	O QUE É INTELIGÊNCIA?	11
2.	A INTELIGÊNCIA PODE AUMENTAR?	15
3.	A INTELIGÊNCIA ENVELHECE?	17
4.	O QUE SIGNIFICA "JANELA DE OPORTUNIDADES"?	21
5.	O QUE SÃO INTELIGÊNCIAS MÚLTIPLAS?	25
6.	COMO SE MANIFESTA A INTELIGÊNCIA LÓGICO-MATEMÁTICA?	29
7.	AONDE NOS LEVA A INTELIGÊNCIA ESPACIAL?	35
8.	A INTELIGÊNCIA VERBAL AUMENTA COM O AUMENTO DO VOCABULÁRIO?	43
9.	QUAL A INTELIGÊNCIA DOS GRANDES ESPORTISTAS?	49

10.	EXISTE MESMO UMA INTELIGÊNCIA MUSICAL?	55
11.	O QUE SE SABE SOBRE A INTELIGÊNCIA NATURALISTA?	61
12.	PODEMOS FALAR EM UMA INTELIGÊNCIA PICTÓRICA?	67
13.	PODEMOS ADMITIR A EXISTÊNCIA DE UMA INTELIGÊNCIA ESPIRITUAL?	73
14.	QUAL A DIFERENÇA ENTRE AS INTELIGÊNCIAS PESSOAIS E A INTELIGÊNCIA EMOCIONAL?	75
15.	COMO PODEMOS IDENTIFICAR E ESTIMULAR NOSSA INTELIGÊNCIA INTRAPESSOAL?	79
16.	É POSSÍVEL AMPLIAR NOSSA INTELIGÊNCIA INTERPESSOAL?	87
17.	COMO FUNCIONAM A MEMÓRIA E A CAPACIDADE DE CONCENTRAÇÃO?	91
18.	QUAL A RELAÇÃO ENTRE A INTELIGÊNCIA E A APRENDIZAGEM?	97
19.	O QUE SIGNIFICA "CONSTRUTIVISMO"?	99
20.	A EDUCAÇÃO DAS INTELIGÊNCIAS	105
21.	O USO DAS INTELIGÊNCIAS	133
	CONCLUSÃO	137
	BIBLIOGRAFIA	139

INTRODUÇÃO

Ao publicar este livro, aos 60 anos, percebo que passei apenas 10% de toda minha vida fora da escola. Fora da escola, é importante que se ressalte, mas não fora das aulas. Isso porque minha mãe sempre foi, sem saber, uma excelente educadora, e cresci em uma chácara no bairro do Brooklin dos anos 30. Essa chácara, naqueles tempos num pedaço periférico de São Paulo, constituía excelente ambiente estimulador e mergulhei em desafios e devaneios que devem ter mexido bastante com meu cérebro em formação.

Quando cheguei ao grupo escolar do Ibirapuera, pela primeira vez, era proprietário de muitos saberes e de esfuziante criatividade, que, como de praxe na época, foi literalmente desprezada pela escola. Da escola, então, jamais saí. Depois do grupo, frequentei o ginásio e o colégio Ipiranga, de onde segui direto rumo à Universidade de São Paulo. Casei com uma professora, minha melhor companheira até hoje e, nessa jornada, cumpri todos os papéis, de aluno de graduação a aluno de mestrado, de professor de geografia a diretor pedagógico. Como desafio inerente a essa vida, há cerca de 35 anos entrei no universo do livro e, também aí, fui ficando. Foram cerca de 200 livros – didáticos, paradidáticos, pedagógicos, sobre metáforas e sobre ensaios. Alguns até foram traduzidos. Quem diria?

Há cerca de dez anos, descobri a obra de Gardner (seu livro *Estruturas da mente* foi publicado em 1983) e, sem intenção de trocadilho, entrei de cabeça no assunto. Percebi, aos poucos, que os jogos pedagógicos que colecionei ao longo da vida e pratiquei ao longo de milhares de aulas não apenas empolgavam os alunos e os faziam cativos de enternecido interesse, mas simbolizam experimentos que o próprio Gardner admitia constituírem estímulos às diferentes formas de inteligência.

A presente publicação sintetiza parte dessas leituras e um pouco desses experimentos e só foi possível graças à incomparável ajuda e compreensão de amigos imprescindíveis, entre os quais incluo Wanda, minha mulher, filhos e noras (filhas, portanto), Luli e Ceri, Anna Lúcia e Andréa, o insubstituível capitão Leonardo Placucci, Wanda, Betânia, Ana Paula, Marco Antônio e Léo, e meus grandes companheiros do Sant'Anna Global, das Faculdades Sant'Anna, meus alunos da terceira idade e ainda outros colaboradores das editoras Vozes e Scipione.

Celso Antunes

1
O QUE É INTELIGÊNCIA?

A palavra "inteligência" tem sua origem na junção de duas palavras latinas: *inter* = entre e *eligere* = escolher. Em seu sentido mais amplo, significa a capacidade cerebral pela qual conseguimos penetrar na compreensão das coisas escolhendo o melhor caminho. A formação de ideias, o juízo e o raciocínio são frequentemente apontados como atos essenciais à inteligência. A inteligência é resumida pelo *Pequeno dicionário ilustrado brasileiro da língua portuguesa* como "a faculdade de compreender".

Analisando de maneira sucinta as raízes biológicas da inteligência, descobre-se que ela é produto de uma operação cerebral e permite ao sujeito resolver problemas e, até mesmo, criar produtos que tenham valor específico dentro de uma cultura. Dessa maneira, a inteligência serve para nos tirar de alguns "apertos" sugerindo opções que, em última análise, levam-nos a escolher a melhor solução para um problema qualquer.

Assim, se estamos perdidos em um lugar e precisamos achar a saída salvadora, usamos a inteligência, que apontará a melhor opção: consultar um guia, perguntar a alguém ou buscar na memória referência sobre o local procurado. Da mesma maneira, quando precisamos abrandar um problema gerado pela má interpretação de uma intervenção qualquer, é a inteligência que seleciona qual deverá ser a tentativa mais válida: pedir desculpas, escrever uma carta retratando-se ou enviar um presente à pessoa afetada.

Eliminando a preconceituosa ideia da existência de uma "inteligência geral" e assumindo a ideia de inteligência em um sentido mais amplo, percebe-se que, tanto a origem da palavra quanto o verbete presente nos dicionários, encontram-se em um mesmo ponto. A inteligência é, pois, um fluxo cerebral que nos leva a escolher a melhor opção para solucionar uma dificuldade e que se completa como uma faculdade para compreender, entre opções, qual a melhor; ela também nos ajuda a resolver problemas ou até mesmo a criar produtos válidos para a cultura que nos envolve.

É evidente que a inteligência não constitui apenas um elemento neurológico isolado, independente do ambiente. Pierre Lévy (1993) desenvolveu lucidamente a noção de *ecologia cognitiva*, na qual avança para ultrapassar a visão isolada do conceito, mostrando que fora da coletividade, desprovido do ambiente, o indivíduo não pensaria. Todas as nossas inteligências nada mais são do que segmentos componentes de uma ecologia cognitiva que nos engloba. O indivíduo, portanto, não seria inteligente sem sua língua, sua herança cultural, sua ideologia, sua crença, sua escrita, seus métodos intelectuais e outros meios do ambiente.

Associando-se, pois, a identificação das habilidades que compõem a inteligência a esse contexto ambiental cognitivo, percebe-se que a inteligência está muito associada à ideia de felicidade.

Segundo o dicionário citado anteriormente, felicidade é o estado de alguém afortunado, de uma pessoa sem problemas. Se a pessoa que não tem problemas ou que pode resolvê-los sempre que surgem é uma pessoa feliz e se a inteligência é a faculdade de compreender ou resolver problemas, percebe-se que, quanto mais inteligentes nos tornamos, mais facilmente construímos nossa felicidade.

Não nos parece difícil associar as ideias de inteligência e de felicidade e seu estímulo ao papel da escola neste nascer de um novo milênio. A escola, como centro transmissor de informações, já não se justifica. Afinal de contas, esse centro pode e deve ser substituído por outros, menos cansativos, menos onerosos e, principalmente, mais eficientes. A figura da criança ou mesmo do adolescente indo a uma escola para colher informações é tão antiquada e patética quanto a do indivíduo que precisa se levantar para mudar o canal da televisão. Essa "antiguidade", entretanto, é curiosa. Há poucos anos, era inimaginável para um leigo em eletrônica o controle remoto da TV, como o era, para muitas famílias, a ideia da escola com outro papel. Mas esses valores foram ultrapassados e hoje o canal é alterado da própria poltrona e, da mesma forma, já não se concebe uma escola como agência de informações. Para esse fim, existem a própria televisão com seus múltiplos meios, a internet, os livros, os CD-ROMs etc. Pensar na escola com esse propósito significa propugnar por seu fim.

O papel da escola, entretanto, renova-se com estudos e descobertas sobre o comportamento cerebral e, nesse contexto, a nova escola é a que assume o papel de "central estimuladora da inteligência". Se a criança já não precisa ir à escola para simplesmente aprender, ela necessita da escolaridade para "aprender a aprender", desenvolver suas habilidades e estimular suas inteligências. O professor não perde espaço nesse novo conceito de escola. Ao contrário, transforma a sua na mais importante das profissões, por sua missão de estimulador da inteligência e agente orientador da felicidade. Perdeu seu espaço, isto sim, a escola e, portanto, os professores que são simples agentes transmissores de informações.

Mas, na análise do conceito de inteligência e na redefinição do papel da escola surge uma dúvida extremamente válida: será a inteligência uma faculdade ampliada? Podemos nos tornar mais inteligentes? Não seríamos, por acaso, vítimas de uma carga genética imutável e a inteligência, tal qual a cor dos olhos por exemplo, um estigma que temos de aceitar para toda vida?

2
A INTELIGÊNCIA PODE AUMENTAR?

A ciência, de maneira geral, vive um momento de euforia. Nunca como agora se mostra tão notável e espetacular o desenvolvimento da bioquímica, da genética e da neurofisiologia. A possibilidade de "abrir" cérebros humanos, ligando neles sensores que "traduzem" suas operações para um computador, e tecnologias como o MRI (dispositivo de imagens de ressonância magnética), que "acendem" áreas neurais quando o cérebro capta sinais exteriores, apontam novos campos para um extraordinário avanço no estudo da inteligência humana e, consequentemente, para a resposta à pergunta deste capítulo. Mas um fato é incontestável: a revelação sobre a estrutura integral da mente e o estudo do funcionamento da inteligência humana mal tiveram início.

Portanto, seja qual for a resposta que se dará a essa questão, ela é extremamente limitada e passível de mudanças expressivas nos próximos anos. Mesmo assim, é possível afirmar com segurança que a inteligência de um indivíduo é produto de uma carga genética que vai muito além da de seus avós, mas que alguns detalhes da estrutura da inteligência podem ser alterados com estímulos significativos aplicados em momentos cruciais do desenvolvimento humano.

Ao mesmo tempo que a afirmação responde positivamente à pergunta sobre a possibilidade do aumento da inteligência, destaca que esse aumento é mais intenso para a execução de algumas operações do que para a execução de outras. Em verdade, não existe uma "inteligência geral", que aumenta ou estaciona, mas um elenco múltiplo de aspectos da inteligência, alguns muito mais sensíveis à modificação por meio de estímulos adequados do que outros. Em resumo, é possível afirmar com evidências científicas nítidas, que a inteligência humana pode ser aumentada especialmente nos primeiros anos de vida, mesmo admitindo que as regras desse aumento sejam estipuladas por restrições genéticas. A maior parte dos especialistas em estudos cerebrais admite situar-se entre 30 e 50% o valor das regras da hereditariedade sobre o grau de inteligência que um indivíduo pode alcançar com estímulos e esforços adequados.

Uma pesquisa com ratos, desenvolvida por Mark Rosenzweig nos anos 60 em Berkeley, na Universidade da Califórnia, revela a importância dos estímulos de um ambiente no aumento da inteligência. Criou-se um conjunto de ratos com fartura de alimentos, mas em um ambiente empobrecido de estímulos e outro grupo igual, com menos alimentos, ainda que suficientes, mas em gaiolas enriquecidas por labirintos, escadas, rodas e outros "brinquedos". Após oito dias, todos os ratos foram sacrificados e seus cérebros cientificamente analisados. O resultado foi incrivelmente esclarecedor: os córtices cerebrais dos ratos dos ambientes pobres em estímulos pesavam 4% menos do que os dos ratos criados nos ambientes estimulantes. Os primeiros eram mais gordos, mas bem menos ativos e bem mais sonolentos do que os segundos. Em tão poucos dias, ficou evidente que os ratos criados em ambientes estimulantes eram muito melhores para "resolver os problemas" propostos pelos brinquedos de sua gaiola. O maior aumento do peso do córtice cerebral ocorreu sobretudo nas partes do cérebro ligadas à percepção visual, justamente a mais estimulada pelos brinquedos colocados no ambiente.

3
A INTELIGÊNCIA ENVELHECE?

É claro que sim. O envelhecimento do corpo humano, vegetal ou animal é fato incontestável para a biologia e não poderia ser diferente na questão da inteligência. O mais importante, portanto, não é responder à pergunta proposta e discutir "quando" ocorre esse envelhecimento. A resposta a essa questão nos remete a outra: o envelhecimento da inteligência ocorre, ao mesmo tempo, nos dois hemisférios cerebrais?

A pergunta faz sentido. Estudos recentes concluem que, mesmo para desempenhar funções aparentemente banais como descansar ou ler um livro, são acionadas partes diferentes do cérebro. Além disso, esses mesmos estudos informam que homens e mulheres, sobretudo na parte ocidental do planeta, apresentam sensíveis diferenças cerebrais determinadas pela natureza. O homem concentra sua atividade cerebral no lado esquerdo, onde estão as funções da fala, do raciocínio lógico, da memória espacial, que estimula deduções, calcula com mais segurança riscos e perigos e uma série de outros atributos aos quais se dá indevidamente o nome de "razão". O cérebro feminino tem volume menor, neurônios a menos, mas, em compensação, possui áreas nas quais os neurônios são mais concentrados do que nos homens. As mulheres utilizam bem mais os dois lados do cérebro e, portanto, muito mais do que o homem, o hemisfério direito, onde ficam guardadas as emoções, os rostos conhecidos e a memória afetiva. Estudos de neurologia mostram que algumas vítimas de traumas ou doenças que atinjam o lado direito da massa encefálica passam a ter imensas dificuldades para entender metáforas, anedotas inteligentes e, sobretudo, trocadilhos.

O comportamento do homem e da mulher no Ocidente é muito menos resultado hormonal do que herança pré-histórica; a história de vida do homem e da mulher foi muito diferente na maior parte dos milhares de anos de vida da espécie humana, e essas diferenças modelaram as formas desiguais de utilização dos dois hemisférios.

Pelo exposto, vai-se percebendo que a resposta sobre o envelhecimento da inteligência é mais difícil do que parece. Mais lógico seria afirmar que o envelhecimento não ocorre com todas as inteligências ao mesmo tempo e, principalmente, não ocorre com a mesma intensidade nos dois hemisférios cerebrais. Ocorre muito mais por falta de estímulos – o que seria o mesmo que dizer por falta de "ginástica" – do que por razões de natureza biológica. Cada inteligência, das muitas que possuímos, tem sua "janela de oportunidades" claramente definida e, embora essas janelas se abram e se fechem ao mesmo tempo para todas pessoas, sua abertura e seu fechamento dependem muito de cada inteligência em especial.

O cérebro humano é mais ou menos como um prédio com nove janelas diferentes, cada uma delas com um momento certo para entreabrir-se e outro para escancarar-se. Algumas dessas janelas começam a se abrir ainda no ventre materno, a maioria quando do nascimento e outras nos primeiros anos de vida. Em geral, estão escancaradas entre os 2 e os 16 anos, mas depois se retraem um pouco e não mais se fecham, a não ser após os 72 anos.

Os circuitos cerebrais responsáveis pelas diferentes inteligências amadurecem em períodos diferentes da vida, destacando a importância do estímulo durante a infância. A densidade das sinapses na criança de 1 a 2 anos é cerca de 50% maior do que em um adulto, mas o universitário de 22 anos tem tanta facilidade ou dificuldade de aprender quanto seu avô de 71. A diferença entre eles está em saber qual dos dois está mais motivado e qual deles se cerca de desafios mais estimulantes.

É importante diferenciar o comportamento neurológico, portanto orgânico, da inteligência, de sua ação social. Trabalho que temos desenvolvido com numerosos grupos de terceira idade mostra que, no Brasil, é muito comum, a partir dos 50 anos, a mulher assumir um comportamento inteligente *centrífugo*, quando se abre plenamente para a comunidade familiar e social, e, ao contrário, o homem desenvolver um comportamento inteligente *centrípeto*, fechando-se cada vez mais sobre si mesmo. Esse comportamento social expõe muito mais o homem do que a mulher a crises de depressão e abatimento.

4
O QUE SIGNIFICA "JANELA DE OPORTUNIDADES"?

Um aluno universitário tem uma massa encefálica que pesa cerca de um quilo e quinhentos gramas. Essa substância abriga cem bilhões de células nervosas e cada uma delas se liga a milhares de outras em mais de cem trilhões de conexões. Damos o nome de *sinapses* à relação de contato entre essas células nervosas e é justamente graças a essa trama que esse universitário pensa, recorda, raciocina e se emociona.

Essa teia, entretanto, não vem pronta e acabada no nascimento. A massa encefálica de um bebê guarda os neurônios de toda sua vida, mas as sinapses ainda não estão totalmente acabadas. É por isso que o cérebro de um recém-nascido é cerca de 400 gramas menor do que o de um adulto e isso significa que as fibras nervosas capazes de ativar o cérebro precisam ser construídas e o são pelos desafios e estímulos a que o ser humano é submetido. Assim como um *chip* de computador é só uma pastilha de silício sem os programas que o ativam, o cérebro é uma massa cinzenta quase inerte sem as experiências que o levam à aprendizagem.

Em um recém-nascido, os dois hemisférios do cérebro ainda não se especializaram. Isso vai acontecer lentamente até os 5 anos e rapidamente até os 16, mas de maneira desigual em cada hemisfério e para cada inteligência. Dezesseis, assim, é uma idade pouco válida para ampliar a capacidade da fala, cuja janela apresenta sua maior abertura entre os 10 e os 12 anos, e muito menos válida ainda para a função visual, cujo fechamento parcial ocorre aos 2 anos.

Foi justamente constatando esses fatos que os neurobiólogos começaram a estudar o que chamaram de "janelas de oportunidades", criando um mapa, ainda a ser aperfeiçoado, em que outras inteligências apresentam também suas janelas. Nunca, porém, é demais repetir que o fechamento da janela representa apenas uma dificuldade maior para aprender e não o impedimento da aprendizagem, que, como vimos, manifesta-se somente após os 72 anos. A ideia da janela é positiva, pois, se ela está "escancarada", temos um grande momento para seu estímulo, se está parcialmente fechada, o estímulo é válido, mas a aprendizagem será um pouco mais difícil.

Apresentamos a seguir um quadro que destaca os períodos de maior abertura de cada uma das janelas conhecidas:

INTELIGÊNCIAS	ABERTURA DA JANELA	O QUE ACONTECE NO CÉREBRO	QUE "GINÁSTICAS" DESENVOLVER
Espacial (lado direito)	Dos 5 aos 10 anos	Regulação do sentido de lateralidade e direcionalidade. Aperfeiçoamento da coordenação motora e a percepção do corpo no espaço.	Exercícios físicos e jogos operatórios que explorem a noção de direita, esquerda, em cima e em baixo. Natação, judô e alfabetização cartográfica.
Linguística ou verbal (lado esquerdo)	Do nascimento aos 10 anos	Conexão dos circuitos que transformam os sons em palavras.	As crianças precisam ouvir muitas palavras novas, participar de conversas estimulantes, construir com palavras imagens sobre composição com objetos, aprender, quando possível, uma língua estrangeira.

INTELIGÊNCIAS	ABERTURA DA JANELA	O QUE ACONTECE NO CÉREBRO	QUE "GINÁSTICAS" DESENVOLVER
Sonora ou musical (lado direito)	Dos 3 anos 10 anos	As áreas do cérebro ligadas aos movimentos dos dedos da mão esquerda são muito sensíveis e facilitam a execução de instrumentos de corda.	Cantar com a criança e brincar de "aprender a ouvir" a musicalidade dos sons naturais e das palavras são estímulos importantes, como também habituar-se a deixar um CD no aparelho de som, com música suave, quando a criança estiver comendo, brincando ou mesmo dormindo.
Cinestésica corporal (lado esquerdo)	Do nascimento aos 5 ou 6 anos	Associação entre olhar um objeto e agarrá-lo, assim como passagem de objetos de uma mão para outra.	Desenvolver brincadeiras que estimulem o tato, o paladar e o olfato. Simular situações de mímica e brincar com a interpretação dos movimentos. Promover jogos e atividades motoras diversas.

INTELIGÊNCIAS E HABILIDADES	ABERTURA DA JANELA	O QUE ACONTECE NO CÉREBRO	QUE "GINÁSTICAS" DESENVOLVER
Pessoais (Intra e interpessoal) (lobo frontal)	Do nascimento à puberdade	Os circuitos do sistema límbico começam a se conectar e se mostram muito sensíveis a estímulos provocados por outras pessoas.	Abraçar a criança carinhosamente, brincar bastante. Compartilhar de sua admiração pelas descobertas. Mimos e estímulos na dosagem e na hora corretas são importantes.
Lógico-matemática (lobos parietais esquerdos)	De 1 a 10 anos	O conhecimento matemático deriva inicialmente das ações da criança sobre os objetos do mundo (berço, chupeta, chocalho) e evolui para suas expectativas sobre como esses objetos se comportarão em outras circunstâncias.	Acompanhar com atenção a evolução das funções simbólicas para as funções motoras. Exercícios com atividades sonoras que aprimorem o raciocínio lógico-matemático. Estimular desenhos e facilitar a descoberta das escalas presentes em todas as fotos e desenhos mostrados.

INTELIGÊNCIAS	ABERTURA DA JANELA	O QUE ACONTECE NO CÉREBRO	QUE "GINÁSTICAS" DESENVOLVER
Pictórica (lado direito)	Do nascimento até 2 anos	A expressão pictórica está associada à função visual e, nesse curto período de dois anos, ligam-se todos os circuitos entre a retina e a área do cérebro responsável pela visão.	Estimular a identificação de cores. Usar figuras, associando-as a palavras descobertas. Brincar de interpretação de imagens. Fornecer figuras de revistas e estimular o uso das abstrações nas interpretações.
Naturalista (lado direito)	Dos 4 meses aos 14 anos	Conexão de circuitos cerebrais que transformam sons em sensações	Estimular a percepção da temperatura e do movimento do ar e da água. Brincar de "descobrir" a chuva, o mar, o vento.

É bastante estimulante para toda a humanidade a identificação de diversas inteligências no ser humano e as acentuadas diferenças entre o homem e a mulher quanto ao uso deste ou daquele hemisfério cerebral. Ainda que exista uma longa estrada a ser percorrida nesses estudos, já é admirável saber que somos mais diferentes do que se imaginava que pudéssemos ser. A grande investigação que marca o final do século é aquela que o homem faz sobre si mesmo e sobre o incrível potencial de diferença existente entre as pessoas.

A descoberta de si mesmo e a lenta percepção da complexidade do outro constituem um desafio sedutor para todos nós.

5
O QUE SÃO INTELIGÊNCIAS MÚLTIPLAS?

Pesquisas recentes em neurobiologia sugerem a presença de áreas no cérebro humano que correspondem, pelo menos de maneira aproximada, a determinados espaços de cognição, mais ou menos como se um ponto do cérebro representasse um setor que abrigasse uma forma específica de competência e de processamento de informações. Embora seja uma tarefa difícil dizer claramente quais são essas áreas, existe o consenso de que possam, cada uma delas, expressar uma forma diferente de inteligência, isto é, de se responsabilizar pela solução específica de problemas ou criação de "produtos" válidos para uma cultura.

Essas áreas, segundo Howard Gardner (que publicou pela primeira vez suas pesquisas em 1983), seriam *oito* e, portanto, o ser humano seria proprietário de oito pontos diferentes de seu cérebro onde se abrigariam diferentes inteligências. Ainda que esse cientista afirme que o número oito é relativamente subjetivo, são essas as inteligências que caracterizam o que ele chama de *inteligências múltiplas*. Seriam elas a inteligência *linguística ou verbal*, a *lógico-matemática*, a *espacial*, a *musical*, a *cinestésica corporal*, a *naturalista* e as inteligências pessoais, isto é, a *intrapessoal* e a *interpessoal*.

A esse número, o professor brasileiro Nilson Machado, doutor em educação pela Universidade de São Paulo, onde leciona desde 1972, ex-professor visitante do Instituto de Estudos Avançados da USP, no programa "Educação para a cidadania", em uma de suas obras (1996) ainda acrescenta mais uma, no caso, a *nona*, que seria a inteligência *pictórica*. Ao estabelecer uma linha de relação entre as inteligências propostas por Gardner, identifica como *elos de complementaridade* os pares linguístico-lógico-matemático, intra e interpessoal, espacial-cinestésico corporal e competência musical-pictórica. Reforça essa composição, desenvolvida antes que Gardner anunciasse a inteligência naturalista, lembrando que os recursos pictóricos se tornam elementos fundamentais na comunicação e na expressão de sentimentos, manifestando personalidades características ou revelando sintomas diversificados de desequilíbrios psíquicos.

Como a localização cerebral desses pontos neurais não constitui tarefa fácil, Gardner aponta oito *sinais* ou *critérios* que considera essenciais para que uma competência possa ser incluída como uma inteligência. Afirma Gardner não incluir como tal conhecimentos que apresentam um ou dois sinais. Esses sinais seriam:

Identificação da "morada" da inteligência por dano cerebral

Esse critério é válido na medida em que o dano causado a uma parte do cérebro pode afetar as habilidades inerentes a essa inteligência. Um dano cerebral, por exemplo, que atinja uma parte específica do hemisfério esquerdo do cérebro pode destruir a capacidade da fala de uma pessoa, assim como sua capacidade de construir imagens por meio de palavras, sem necessariamente afetar outros pontos ou outras inteligências localizadas em outras áreas cerebrais. Tal como para essa, existiriam outras "moradas" específicas para as demais inteligências.

A existência de indivíduos excepcionais em áreas específicas da solução de problemas ou criação

Pessoas geniais ou mesmo *idiots savants* que apresentam pesadas limitações em certos níveis de inteligência e excepcionalidade em outras permitem caracterizar essas inteligências em "isolamento". Casos como o de crianças autistas que desenham admiravelmente ou de outras com sérias limitações físicas que são músicos geniais parecem confirmar que possuem várias inteligências afetadas, mas com destaque particular para uma ou algumas.

Gatilho neural pronto para ser disparado em determinados tipos de informação interna ou externa

O critério se apoiaria na capacidade momentânea de alguns em "disparar" sua inteligência a partir de estímulos. Seria o caso de crianças que, ouvindo pela primeira vez uma orquestra sinfônica, revelariam fascínio e percepção pela musicalidade, ou o caso de pessoas que, por exemplo, sejam capazes de executar geniais passos de dança logo após ver pela primeira vez uma apresentação. Nos exemplos expostos, a inteligência musical elevada da criança se manifestaria diante da orquestra, como a elevada inteligência cinestésica corporal dispararia diante de uma apresentação de balé.

A suscetibilidade à modificação da inteligência por treinamento

As inteligências não nascem "prontas" nos indivíduos, ainda que uns possam apresentar níveis mais elevados do que outros nesta ou naquela inteligência. A presença universal das oito ou nove capacidades e a certeza de sua presença na história da evolução humana seria um sinal da existência da inteligência.

Uma história de plausibilidade evolutiva

As raízes de nossas inteligências datam de milhares de anos de história e algumas inteligências específicas se tornam mais plausíveis na medida em que é possível a localização de antecedentes evolutivos. A história biológica da espécie humana parece revelar essas antecedências.

Exames específicos por meio de tarefas psicológicas experimentais

Certas pesquisas psicológicas podem, por exemplo, estudar a especificidade do processamento linguístico, espacial ou musical permitindo que a autonomia de uma inteligência possa ser investigada. Um outro exemplo dessa autonomia ocorre com a memória que, longe de ser uma capacidade "geral", mostra-se um dado específico. Assim, existem pessoas com excelente memória verbal que apresentam limitadas memórias numéricas, outras com ótima memória musical e incapazes de "decorar passos de uma dança" e assim por diante.

Apoio de exames psicométricos

Resultados de experiências psicométricas mostram claros indícios de inteligências específicas. É comum em exames dessa natureza a identificação da extraordinária habilidade lógico-matemática e, nem sempre, igual alcance espacial, extraordinário sucesso em exames verbais e reduzido êxito musical.

A criação de um sistema simbólico específico

Grande parte da representação e, até mesmo, da comunicação humana ocorre por meio de sistemas simbólicos. As "letras" constituem símbolos que diferem das notas musicais, assim como os sinais cartográficos diferem de sinais faciais, mas, de maneira geral, podemos perceber oito ou nove sistemas simbólicos específicos que identificam o isolamento dessas inteligências. É bem possível que uma das mais importantes características da inteligência humana seja sua gravitação natural em direção à incorporação de um sistema simbólico específico.

Em linhas gerais, esses oito critérios permitem identificar o elenco das inteligências múltiplas e os meios pelos quais elas podem ser julgadas.

6
COMO SE MANIFESTA A INTELIGÊNCIA LÓGICO-MATEMÁTICA?

Roberto nasceu em Araraquara, na "colônia" de uma fazenda que cultivava laranjas. Filho de pais agricultores, analfabetos, que não se mostraram abertos e sensíveis à necessidade de dar escolaridade ao filho. Cresceu pronto para o trabalho agrícola e, desde cedo, acompanhava os pais em sua tarefa. Estimulado por um primo que migrara para a cidade, aos 16 anos deixou a lavoura e foi trabalhar na construção civil. Iniciou-se como servente de pedreiro, mas em pouco tempo evoluiu. Passou a pedreiro e anos depois a "mestre" na área da construção.

Continuou analfabeto, mas possuía um "olhar clínico" incomparável para perceber paredes fora de prumo, azulejos malcolocados e quantidade insuficiente de cimento na composição de uma laje. Os engenheiros que "descobriram" Roberto confiavam em sua avaliação e, mesmo com plantas construídas com o maior cuidado e evidente uso de cálculos computacionais avançados, não dispensavam sua opinião. Quando, após examinar uma planta, afirmava que alguma "coisa não estava legal", os engenheiros e arquitetos tinham a dignidade humilde de refazer os cálculos e, invariavelmente, descobriam um ou outro erro.

Roberto, sem estímulos e ações interativas em sua educação infantojuvenil, "brilhava" por sua inteligência lógico-matemática acima da média. A carga genética de muitas e muitas gerações produzira aquela combinação responsável pelo sucesso, o estímulo de seu trabalho na construção a ampliara. Se não tivesse migrado, passaria o resto da vida brincando ingenuamente de calcular, por exemplo, quantas laranjas apareciam em cada pé ou quantos frutos podiam abrigar cada um dos cestos. Roberto, sem jamais ter ouvido Galileu, descobrira que "o livro da natureza está escrito em símbolos matemáticos".

O "caso" Roberto, efetivamente, é fictício, mas todos sabemos que casos assim se multiplicam em todas as partes. A competência que Gardner define como "inteligência lógico-matemática" desenvolve-se no confronto do sujeito com o mundo dos objetos. Essa forma de inteligência, portanto, manifesta-se na facilidade para o cálculo, na capacidade de perceber a geometria nos espaços, no prazer específico que algumas pessoas sentem ao "descansar" resolvendo um "quebra-cabeças" que requer pensamento lógico ou ao "inventar" problemas lógicos enquanto estão no trânsito congestionado ou aguardando em uma longa fila.

A inteligência lógico-matemática, como as demais, está presente em todas as pessoas, mas em algumas mostra-se mais acentuada e permite o aparecimento de figuras como Euclides, Pitágoras, Newton, Bertrand Russell e, sobretudo, Einstein, e de numerosos engenheiros e arquitetos brilhantes. Entre todas as inteligências, indiscutivelmente, a lógico-matemática e a verbal são as de maior prestígio. Uma vez que a matemática e a leitura se encontram entre as mais admiráveis conquistas da sociedade ocidental, é compreensível que os expoentes dessas inteligências estejam muito mais próximos de serem considerados "gênios" do que os que possuem ou possuíram notável inteligência cinestésica corporal, naturalista, intrapessoal ou outras. Uma crítica a essa afirmação, sobretudo em relação ao domínio cinestésico corporal, pode ser feita por todos que afirmam que Zico, Maradona, Pelé, Garrincha ou Gilmar foram "gênios" do futebol. Entretanto, parece importante destacar que essa aludida genialidade "emprestava" para a linguagem do esporte o substantivo que com muito maior naturalidade pareceria valer para Einstein, Euclides, Shakespeare, Dostoievski ou Dante Alighieri. Hoje, percebe-se que o elevado domínio da inteligência lógico-matemática não é prerrogativa apenas de ocidentais, ainda que sua expressão possa parecer "escondida" em outras culturas. Gardner analisa com clareza casos de povos como os bosquímanos do Calaari, dos *kpelle* na Libéria, e ainda outros com possibilidade de oferecer clara visão da sua inteligência lógico-matemática em separado.

O *estímulo* a essa forma de inteligência encontra-se muito bem fundamentado nos estudos de Piaget. Segundo sua concepção, o entendimento lógico-matemático deriva, inicialmente, das ações da criança sobre o mundo quando, ainda no berço, explora suas chupctas, seus chocalhos, seus móbiles e outros "brinquedos" para, em seguida, formar expectativas sobre como esses objetos vão se comportar em outras circunstâncias. É evidente que, em alguns casos, a inteligência lógico-matemática aparece muito elevada e o indivíduo, mesmo sem estímulos adequados, pode fazê-la "brilhar", mas, mais evidente ainda é que os pais ou a escola que saibam como estimulá-la obterão resultados bem mais significativos do que impor a matemática como um perverso desafio. O aluno, assim como é alfabetizado na descoberta dos signos das letras e com as mesmas forma sílabas e palavras, necessita ser "matematicamente alfabetizado" quando, decifrando os signos matemáticos, conquista a permanência do objeto, descobrindo que possui uma existência separada das ações específicas do indivíduo sobre ele. Ao reconhecer a "permanência" do objeto, pensar e referir-se a ele mesmo em sua ausência, a criança torna-se capaz de reconhecer as similaridades entre objetos, ordenando-os em classes e conjuntos. Mais tarde, por volta dos 5 anos, deixa de contar mecanicamente uma série de números e aplica esse valor, mapeando-o para conjuntos de objetos. Finalmente, por volta dos 6 ou 7 anos, confrontando dois conjuntos de objetos, a criança pode identificar o número de cada um, comparar os totais e determinar o que contém maior quantidade. As habilidades operatórias (confrontar, identificar, comparar, calcular) ganham contornos definidos e a criança adquire uma razoável noção sobre o conceito de quantidade. O desenvolvimento matemático segue a passagem das ações sensório-motoras para as operações formais concretas, e da capacidade de cálculo avança para raciocínios lógicos experimentais. Em sala de aula, ou principalmente em gincanas aparentemente lúdicas, o estímulo dessa inteligência pode tornar-se uma atividade muito interessante com o emprego de mensagens cifradas, um estimulante desafio imaginativo adaptado para qualquer faixa etária. Interessante notar o notável progresso de alunos das primeiras séries do ensino fundamental, quando descobrem professores que sabem "matematizar" suas aulas levando-os a visitar a comunidade e descobrir onde está a matemática do motorista de ônibus, do jornaleiro, das latas expostas nas gôndolas dos supermercados, das diferentes vitrinas e sua diversidade nos *shoppings*. Para o leigo, a incredulidade se manifesta: será que existe matemática nessas coisas? Para o professor, a questão é ingênua demais; a matemática não reside apenas nas salas de aula, o cálculo está presente em todo motorista, em qualquer profissional e até no aluno que mede com seus passos a calçada percorrida, e a geometria desenha o espaço geográfico e é elemento crucial de todo ambiente arquitetônico.

O simples exercício de buscar a *lógica* das coisas ou de descobrir que determinados enunciados "não apresentam qualquer lógica" constituem operações mentais estimuladoras dessa competência como também as constituem os exercícios pedagógicos de trabalhar as habilidades de classificação, comparação ou dedução.

Algumas pessoas mais simples jamais ouviram falar em Aristóteles, mas possuem interiorizados em seu raciocínio os três princípios da lógica: 1) o princípio da não contradição (é impossível que o mesmo atributo pertença e não pertença, ao mesmo tempo e sob a mesma relação, ao mesmo sujeito); 2) o princípio do terceiro excluído (é impossível que haja uma posição intermediária entre dois enunciados contraditórios); e 3) o princípio da identidade (dado um enunciado, ele é sempre igual a ele mesmo). Em um sentido prático, a aplicação desses princípios abrigaria a ideia de que "quando falo de Cláudia você sabe de quem falo e, portanto, excluo todas as outras Cláudias (princípio da identidade). Estou falando de alguém que acredita nas causas políticas que acreditamos e, por isso mesmo, é nossa líder (princípio da não contradição) e é claro que essa Cláudia não é aquela a que estão atribuindo essas fofocas que podem abalar a certeza das causas que defendemos (princípio do terceiro excluído)".

À primeira vista, pode parecer que existe uma ambivalência no nome da inteligência: por que falarmos em inteligência lógico-matemática e não apenas em inteligência matemática?

Williard Quine, citado por H. Gardner, indica a resposta: a lógica está envolvida com afirmativas, ao passo que a matemática trabalha com entidades abstratas, mas, em níveis mais elevados, o raciocínio lógico conduz às conclusões matemáticas. A lógica seria algo assim como a matemática adulta e as capacidades da segunda não dispensam as abstrações da primeira.

A *relação* dessa *inteligência* com as demais é muito explícita. A beleza da lógica e a expressão pura da matematização do cotidiano precisam da inteligência linguística e essa busca espacial da matemática não dispensa a inteligência cinestésica corporal. Não há nada mais matemático do que a dança de um grande bailarino, e a própria expressão da geometria não dispensa a inteligência pictórica. A espacialidade é quase nada sem matemática e os grandes músicos fazem da sua arte uma matemática sonora. Toda a força poética dessas múltiplas relações talvez se sintetize na mensagem de Fernando Pessoa: "O binômio de Newton é tão belo quanto a Vênus de Milo".

O estímulo a essa inteligência, evidentemente, não se limita à infância. Interações abstratas, problemas matemáticos, análises algébricas, jogos como gamão e xadrez (igualmente estimulador da inteligência espacial, como se verá), *games* específicos e que explorem a dedução e o raciocínio analítico, os desafios ligados à engenharia e à arquitetura representam procedimentos recomendáveis, mesmo para os que não busquem essa alternativa lúdica ou profissional. Do ponto de vista biológico, existe algum consenso de que os lóbulos parietais esquerdos e as áreas de associação temporal e occipital contíguas assumem relevância no desempenho dessa inteligência, e lesões nessa área ocasionam colapsos em capacidade de cálculo, desenho geométrico e orientação esquerda/direita.

7
AONDE NOS LEVA A INTELIGÊNCIA ESPACIAL?

O jovem *puluwat* – do povo que habita as ilhas Carolinas no Pacífico, na Micronésia – mais admirado em sua aldeia é o que possui, desde cedo, permissão para dirigir canoas. Com habilidade encontrada apenas em uma minoria dos habitantes, esse jovem sabe perceber na organização das estrelas do céu os caminhos para localizar, sem hesitação, as muitas ilhas que se distribuem ao redor da sua. Com a experiência, aprimora essa habilidade, que se associa às cores do sol, ao sentimento que experimenta ao passar pelas ondas, às nuanças na mudança do vento ou na instabilidade do tempo.

O prestígio social desse jovem, em outra cultura, equivale ao do esquimó que, em um meio de dificílima orientação, é capaz de perceber as nuanças do branco, as rachaduras no gelo e a diferença entre uma e outra banquisa. Entre alguns bosquímanos do Calaari a capacidade de observar detalhes extremamente refinados no espaço permite a caçadores excepcionais a dedução, a partir do rastro de um animal, de seu sexo, seu tamanho, sua compleição ou do motivo de seu deslocamento por aquela área geográfica.

As diferentes competências reveladas por indivíduos dos povos anteriormente descritos baseiam-se na capacidade de perceber formas e objetos mesmo quando vistos de diferentes ângulos, de perceber e administrar a ideia de espaço, elaborar e utilizar mapas, plantas e outras formas de representação, de identificar e de se localizar no mundo visual com precisão, de efetuar transformações sobre as percepções, imaginar movimento ou deslocamento interno entre as partes de uma configuração e ser capaz de recriar aspectos da experiência visual, mesmo sem estímulos físicos relevantes.

Nos problemas que caracterizam nosso cotidiano, a inteligência espacial é importante para nossa orientação em diversas localidades, para o reconhecimento de cenas e objetos quando trabalhamos com representações gráficas em mapas, gráficos, diagramas ou formas geométricas, na sensibilidade para perceber metáforas, na criação de imagens reais que associam a descrição teórica ao que existe de prático e, até mesmo, quando, pela imaginação, construímos uma fantasia com aparência real.

Essa forma de inteligência muito marcante em Darwin (que associou sua teoria à árvore da vida), em Dalton (que associou a imagem do átomo à do sistema solar) resplandece, também, em pessoas como Chico Buarque de Holanda, Clarice Lispector, Guimarães Rosa e outros que, associando-a a inteligência verbal, constroem imagens físicas ou poéticas muito lúcidas com palavras, ou ainda em exploradores e ambientalistas que transitam por matas e desertos como se caminhassem por uma cidade plenamente sinalizada.

O *estímulo* da inteligência espacial pode ser promovido de diferentes maneiras, e, para cada faixa etária, existem estratégias correspondentes. Contar histórias para crianças é importante, mas terminá-las nem sempre. Assim, é essencial que a criança possa interagir com a história contada apresentando o final ou os trechos que pressupõem uma continuidade. Em salas de aula, as histórias iniciadas pelo professor devem contar com uma continuidade interativa, mas esta, em vez de vagar solta e dispersa, deve manter um fio condutor seguro pelo professor. Este, é evidente, não sabe como acabará a história que iniciou, mas sabe que a divagação dos alunos deve encontrar limites e que, quando pronta, a história deve fazer parte de um portfólio ou ser registrada em anotações que se transformem em propriedade de todos. Aos pais, desejosos de estimular a espacialidade de seus filhos, recomenda-se solicitar sempre a sua opinião sobre os fatos do cotidiano, sem a preocupação censora de julgar que sua apresentação possa solicitar posições como "certo" ou "errado". Ao contrário dessas "censuras", pode haver a tentativa de levar a criança, mesmo as mais novas, a descobrir que existem opiniões discordantes e que divergências de opiniões não abrigam posições maniqueístas, nas quais se aloja uma ou outra como certa ou errada. O estímulo para "sonhar acordado" e fazer dessas narrativas uma construção do tipo *brainstorming* representa um meio alentador de desenvolvimento da inteligência espacial, assim como constitui um meio muito saudável "brincar" de identificar como seria a forma de uma composição vista do alto ou de outro ângulo qualquer do observador.

A atividade conhecida como *brainstorming* (tempestade cerebral) foi desenvolvida com base em experimentos realizados por Alex Osborn e muito utilizada com a finalidade de "despertar" a criatividade de profissionais de vendas. O princípio no qual a atividade se apoia consiste em solicitar aos participantes que apresentem, sem qualquer censura, ideias as mais diversas e até mesmo, em um primeiro estágio, as mais descabidas sobre qualquer tema colocado por um monitor ou professor. Ao receber as ideias, verbalmente colocadas, o monitor deve registrá-las e estimular a rápida sucessão de outras mais. Um exemplo prático de sua aplicação começaria com a fundamentação dos quatro princípios do *brainstorming:*

- toda crítica deve ser banida na primeira fase da tempestade cerebral;
- toda ideia, por mais louca que seja, será bem-vinda;
- quanto maior o número de ideias mais fácil será selecioná-las;
- é bastante valioso combinar novas ideias com algumas já expostas.

E teria continuidade com a apresentação do enunciado básico que daria início à "tempestade cerebral" (ou descarga neural), por exemplo:
- vamos descobrir todas as utilidades de uma lâmpada queimada.

Ou, ainda, proposições específicas e mais elaboradas:

- como usar a palavra "chuva" para promover a venda de filtro solar?
- tomando por base a afirmação "a estatística é como o biquíni, o que mostra é interessante, mas o que esconde é essencial", vamos construir ideias que completem "a alegria é como uma piscina".

Essa forma de estímulo da espacialidade pode se completar com o desafio para desenhos. É importante que a criança aprenda a desenhar e descubra beleza no que faz quando incorpora aos elementos do que vê as estruturas do que imagina. Infelizmente, nossa cultura nos leva a perceber na criação um trabalho de qualidade apenas quando ele se aproxima da cópia do real. Para estímulo da espacialidade, essa preocupação deve desaparecer. A criança precisa descobrir que o cavalo de seis patas que imagina é diferente do animal que anda pelas ruas, mas que seu desejo de imaginá-lo com essas seis patas é absolutamente legítimo e pode também abrigar a ideia de beleza. Diante de uma rosa azul desenhada pela criança, pode haver a sincera admiração dos pais, desde que ela venha acompanhada de uma revelação de que é legítimo pensar em rosas azuis, ainda que na natureza essa flor não se apresente com esse aspecto.

Em sala de aula, o estímulo à inteligência espacial, desde os primeiros ciclos do ensino fundamental, pode ser trabalhado com os cuidados que envolvem a alfabetização cartográfica. A leitura do espaço pela criança representa uma descoberta de significado tão relevante em sua formação quanto a alfabetização nos signos das letras. Segundo Piaget, o advento de operações concretas no início da escolaridade simboliza importante ponto de mudança no desenvolvimento mental da criança. Capaz agora de manipulações muito mais ativas, ela pode perceber imagens e objetos de seu domínio espacial. Essa fase da educação corresponde ao "momento mágico" para o estímulo de *descentração*, em que a criança percebe como uma cena se parece com outra e, portanto, como o espaço vivido pode apresentar similaridades com o espaço geográfico apreendido. Nesse aspecto, e visando ampliar os recursos para a estimulação da inteligência espacial em sala de aula, acreditamos ser válido reproduzir o texto que apresentamos no *Manual do professor*, da coleção de nossa autoria *Aprendendo com mapas* (Scipione 1997).

Apresente uma folha escrita a uma criança que não tenha sido alfabetizada.

Evidentemente, os signos ali registrados, as letras que formam as palavras, não propõem qualquer significado. A folha escrita é uma folha muda e sua mensagem não chega ao interlocutor; segundos depois, a criança se desinteressa daqueles signos que nada dizem e, minutos depois, não se lembrará de ter visto aquela folha em sua frente.

Apresente um mapa a alguém que não tenha sido alfabetizado cartograficamente.

Logicamente, a maior parte dos signos ali registrados, os símbolos que compõem a legenda propõem significados restritos. O mapa passa a ser visto apenas como uma ilustração inútil, uma simples pausa na leitura de um texto. A compreensão do espaço que essa ilustração propunha não se concretizou e, provavelmente, o próprio texto que nela se apoiava acaba por não se incorporar ao pleno domínio pretendido pelo leitor. Algum tempo depois, ele não se lembrará de ter visto o mapa e nem mesmo de ter aprendido o texto.

Aprender a ler é absolutamente essencial para construir conhecimentos, incorporando novos conceitos aos que o meio social propiciou. O aluno é sempre o agente de sua aprendizagem, é alguém que aprende basicamente por suas próprias ações sobre os objetos do mundo; se não descobrir o significado dos símbolos que caracterizam a linguagem escrita, não poderá reelaborar os conteúdos que caracterizam sua aprendizagem. Da mesma maneira, se não for levado a decodificar a linguagem dos mapas, jamais verá neles a representação simbólica de um espaço real. Poderá crescer e chegar à vida adulta lembrando-se, talvez, de ter feito belas cópias de mapas, sem ter sido, entretanto, educado para compreender as informações que estava copiando e a refletir sobre elas.

Considerando esses elementos, percebe-se que um trabalho que envolva a alfabetização cartográfica adquire novo e revelador papel na educação: aborda a espacialidade dos fenômenos ao expressar fatos, sintetizar informações, desenvolver a capacidade de análise e de dedução, levando a criança a perceber o espaço por meio de sua produção, organização e distribuição. É essencial, porém, não confundir a exploração da inteligência e das habilidades individuais na interpretação do espaço com tarefas rotineiras de colorir mapas ou símbolos ou escrever nomes de acidentes geográficos. Em princípio, parece não haver qualquer mal em o aluno desenvolver tais atividades, desde que elas se subordinem a um trabalho que tenha por finalidade a construção da idéia de proporcionalidade, do sistema de projeção, da percepção da orientação no espaço simbolizado, de sua transposição para o espaço real e de uma interpretação dinâmica do espaço simbolizado. O mapa não pode ser visto como uma foto estática do espaço, e sim como uma cena vibrante de paisagens que se transformam e que possuem historicidade.

Recentes descobertas no campo da neurologia indicam que as crianças possuem múltiplas formas de inteligência e enfatizam a importância dos primeiros anos de escolaridade, considerando-os essenciais para a plenitude de uma aprendizagem significativa e coerente. A alfabetização cartográfica, nesse contexto, não apenas amplia a linguagem com a qual o aluno interage com o mundo como também desperta-o para o emprego crítico e consciente de novas habilidades operatórias, ferramentas essenciais para os desafios propostos por uma nova época.

E, um pouco mais adiante...

Considerando essas descobertas, qual o significado de acrescentar a alfabetização cartográfica à bagagem conceitual do aluno?

A resposta é simples. Toda planta e todo mapa são representações simbólicas de um espaço verdadeiro. Essa representação, ao contrário de um texto escrito, utiliza-se de uma outra linguagem semiótica, constituída por signos, projeções e escalas. A leitura dessa planta ou desse mapa, portanto, implica o uso de habilidades que nem sempre são as utilizadas para uma leitura convencional. Quem decodifica um mapa, ou mesmo interpreta um gráfico, transfere uma imagem para um espaço restrito e, nessa transferência, usa as habilidades de comparação, análise, síntese, dedução, generalização, relação e, em alguns casos mais particulares, classificação, transferência, medição e incorporação. Desse modo, a criança estará produzindo uma nova linguagem e construindo a relação significante-significado.

Sem acrescentar horas ao estudo diário do aluno, sem representar dificuldades operacionais para o professor, sem onerar o custo da escola com esse novo treinamento, o emprego da alfabetização cartográfica em sala de aula pretende fazer do aluno um leitor crítico e consciente da organização e da representação do espaço onde vive e com o qual busca conviver.

Ao estimular as múltiplas inteligências que o aluno possui com a operacionalização de diferentes habilidades, espera-se que ele se torne um ser autônomo, reconstrutor permanente do espaço para fazê-lo melhor.

É evidente que não corresponde aos objetivos de um trabalho dessa natureza detalhar os passos estruturais de uma alfabetização cartográfica, mas experiências desenvolvidas nesse campo, indiscutivelmente associadas a outras, mostram que os recursos disponíveis em nossas escolas permitem expressiva ampliação no poder de espacialidade do aluno e, consequentemente, na "descoberta" de mais essa inteligência.

Para o adolescente, ou mesmo para o adulto, toda "navegação" pelo imaginário pode ajudar a espacialização. Dessa maneira, peças de teatro intrigantes e que estimulem reflexões e levem o espectador a antecipar possíveis desfechos, e filmes ou fitas de vídeo e leituras também acenam para a ampliação da espacialidade. Sem abusar da pretensão de oferecer contribuições próprias e levar o leitor a imaginar que apenas essas são estimulantes, indicamos para adolescentes, de nossa autoria e de Telma Guimarães Castro Andrade, a obra de ficção da Editora Scipione *Momentos de Decisão*, integrante da coleção *Aventura/Fantasia*. Nesse pequeno livro paradidático, criamos uma narrativa que interage com o leitor e impõe a ele a tarefa de completar algumas de suas páginas, capítulos inteiros e partes de capítulos. Na mesma linha de estímulos, surge como importante ferramenta da centralidade espacial o jogo de xadrez. O envolvimento com esse desafio impõe ao jogador a necessidade de antecipar lances e imaginá-los viáveis ou não.

Considerando a espacialidade como manifestação de qualidade para exercícios profissionais, parece evidente que essa forma de inteligência é muito importante para o geógrafo, o historiador, mas também para o publicitário, o arquiteto e os artistas de vários gêneros.

Ao que tudo indica, a inteligência espacial localiza-se no lado direito do cérebro e, nesse aspecto, pode até explicar o poder de romantismo e fantasia muito mais amplo na mulher do que no homem ocidental; é também muito ampla sua relação com as outras inteligências, sobretudo a musical, a linguística e a cinestésica corporal.

8
A INTELIGÊNCIA VERBAL AUMENTA COM O AUMENTO DO VOCABULÁRIO?

New Haven, Connecticut. Um gigantesco ímã branco ocupa uma sala. Um menino louro deita-se, imóvel, dentro dele, um ruído agudo, semelhante ao do sonar de um submarino, é ouvido quando o ímã entra em ação tirando fotos do cérebro do menino. Palavras cintilam na tela diante da criança. Pedem-lhe que decida se as palavras rimam e aperte um botão. Computadores disparam, processando as imagens do cérebro e as reações do menino.

Juntos, o ímã, os computadores e uma equipe de cientistas e médicos, estão trabalhando para solucionar um dos grandes mistérios da espécie humana: observam o que o cérebro lê.

(*O Estado de S. Paulo*, 26/12/97)

A informação acima mostra como, dia a dia, abre-se mais a portinhola do cérebro para a compreensão da inteligência verbal, isto é, para descobrir como o cérebro desdobra as palavras em sons. Chefiado pelos médicos Bennet e Sally Shaywitz – já conhecidos em todo o mundo por terem identificado com clareza as diferenças entre as ações dos hemisférios direito e esquerdo do cérebro –, um grupo de cientistas do Centro de Aprendizado e da Atenção, da Universidade de Yale, nos Estados Unidos, identificou as áreas que o cérebro usa na leitura observando o fluxo de sangue que chega às células cerebrais quando estas captam sinais sonoros e reconhecem a palavra: "As células acendem como luzes de fliperama", segundo a doutora Sally Shaywitz. Esses estudos, que, de uma certa forma, confirmam outros desenvolvidos em Bethesda, Maryland, revelam que as crianças necessitam entender os sons da língua e as relações entre estes e as letras que os simbolizam – a fonética – para aprender a ler. Essa competência pode ser inata em algumas crianças, mas a maioria delas precisa ser ensinada. Descobertas como essa traduzem um recado muito expressivo para alfabetizadores: não desprezem o uso da fonética, substituindo-o por programas de alfabetização global que prometem ensinar as crianças a ler mergulhando-as diretamente na leitura. Milhões de crianças nos Estados Unidos, e certamente no Brasil, leem mal ou não compreendem plenamente o que leem porque a fonética foi desprezada por alguns programas de alfabetização. A alfabetização fonética, dessa maneira, representa o centro estrutural da inteligência linguística (ou verbal), indiscutivelmente a de mais prestígio em nossa cultura.

A inteligência linguística ou verbal representa ferramenta essencial para a sobrevivência do homem moderno. Para trabalhar, deslocar-se, divertir-se, relacionar-se com os outros, a linguagem constitui o elemento mais importante e, algumas vezes, o único da comunicação. Mas nem todos usam plenamente esse potencial: alguns em virtude do limitado vocabulário que conhecem, que não permite formas de comunicação mais avançadas do que toscos recados, breves comentários e restritas colocações opinativas; outros, em virtude do pequeno alcance do espectro através do qual se manifesta sua inteligência verbal. Ambos podem se beneficiar de um programa de desenvolvimento estimulante.

Esse é um ponto que merece ser destacado com cuidado. A dificuldade de expressão pode ser causada pela restrição vocabular, condição comum a todo turista em um país cuja língua desconhece, mas, em certas situações, mesmo falando na própria língua e mesmo com um vasto vocabulário, é notória a limitação dessa inteligência em certas pessoas, assim como é extremamente expressiva em outras que, muitas vezes, possuem vocabulários muito restritos. Tome-se o caso de Adoniran Barbosa, famoso compositor paulista. Suas *Saudosa maloca*, *Iracema* e *Malvina*, ou mesmo o *Samba do Arnesto*, são lúcidos exemplos de uma extraordinária capacidade de criar imagens, mesmo com o uso de um vocabulário restrito. Qualquer estudante do ensino médio, certamente, usa em sua comunicação diária bem mais palavras do que as usadas por Adoniran, mas esse compositor tinha o notável poder de criar fortes, lúcidas, comoventes e belas imagens usando apenas palavras simples e expressões populares. Na mesma linha de raciocínio, cabe incluir a genialidade de um Cartola, singelo compositor carioca. Homem de limitada cultura, restrita formação escolar, ele conseguiu transmitir imagens extraordinárias do cotidiano do morro em que vivia usando palavras de um limitado vocabulário. É evidente que a expressão dessa inteligência, quando se manifesta em pessoas mais estimuladas pela educação, caracteriza genialidades como a de Shakespeare, Dante Alighieri, Cervantes, Camões, Dostoiévski, Carlos Drummond de Andrade, Euclides da Cunha, Clarice Lispector e muitos outros. Na sua capacidade de arrumar palavras e emprestar sentido de verdadeira arquitetura às mensagens, revela-se sua grande inteligência linguística ou verbal.

Esses exemplos, entre milhares de outros dentro e fora do Brasil, retratam a principal capacidade percebida pela presença de uma elevada inteligência linguística, presente de forma completa em grandes escritores, oradores consagrados, compositores de letras e, principalmente, poetas. Os poetas, pela própria necessidade de limitar as imagens que criam pela rima e pela forma, podem expressar a grandeza dessa inteligência pela perenidade de seus versos, que parecem atuais mesmo centenas de anos após terem sido escritos. Assim como acontece com a inteligência lógico-matemática, a inteligência linguística apresenta-se em todas as culturas e, uma vez que o dom da linguagem é universal, pode ser percebida isolada em área específica do cérebro, conhecida como "centro de Broca", no hemisfério cerebral esquerdo. Responsável pela criação de sentenças gramaticais, um indivíduo com danos nessa área pode compreender o sentido de palavras, ou até mesmo de frases, mas tem dificuldades para criar imagens mais complexas juntando as palavras que conhece. Mesmo populações surdas, que não puderam aprender a linguagem simbólica dos sinais, criam gestos e os utilizam como rudimentos de sua comunicação.

O desenvolvimento da inteligência verbal ou linguística inicia-se com o balbucio das crianças, ainda em seus primeiros meses de vida. Por volta do início do segundo ano de vida, a janela da inteligência linguística parece se abrir vigorosamente e a criança não só desenvolve expressivo vocabulário como também junta palavras em frases com óbvios significados: "nenê naná", "nenê papá". Aos 3 anos, a palavra já se transforma em veículo navegador do pensamento e, por volta dos 4 ou 5 anos, é capaz de se expressar com uma fluência que se identifica muito ao falar adulto, ainda que, em inúmeros casos, a inteligência corporal ajude com caretas e gestos a busca da clareza nessa expressão verbal.

O *estímulo* da inteligência verbal é notório em ambientes motivados pelo desafio de palavras e por múltiplas conversações.

Uma criança que cresce em uma casa ou uma creche extremamente silenciosa provavelmente tem limitações de expressão verbal bem mais nítidas do que as crianças que se desenvolvem em lares com muitos filhos e, portanto, estão em contato com estimulantes desafios "falantes". Dessa observação se conclui que uma maneira de estimular a criança consiste em falar bastante com ela, mas não como quem apresenta um receituário de atitudes desejáveis, e sim como quem procura um interlocutor para colher suas impressões, estimulando com audição atenta a expressão de suas opiniões. Mesmo quando essas opiniões se distanciam do real e invadem o campo da espacialidade, é essencial que a criança opine, cante, invente e, sobretudo, disponha de ouvintes estimulantes, dispostos a "arrancar" depoimentos. Um experimento simples, mas de expressivos resultados, consiste em solicitar à criança de 6 a 7 anos que descreva para alguém ausente de uma sala a maneira como a mesa está arrumada, como foi arranjado o vaso de flores, de que forma os quadros se distribuem pela parede. Essa tarefa se completa quando a pessoa que ouve essas descrições procura discutir as imagens recebidas comparativamente com as imagens reais. Exercícios dessa natureza, desenvolvidos em salas de aula, em pouco tempo, mostraram a necessidade de ampliar o volume das composições, tal era o "crescimento" da capacidade das crianças em elaborar essas imagens com palavras.

Ao lado dessa atividade, é igualmente importante que a criança escreva e nunca é cedo demais para que elas se habituem à companhia de um diário, no qual relatem suas observações, mas também suas impressões e seus pontos de vista. Um "concurso" entre os diários mais benfeitos pelos alunos do segundo ciclo mostrou ser esse um estimulante princípio de imersão dos alunos na descoberta do sentido das palavras e, sobretudo, na diferenciação entre palavras que, aparentemente, pareciam expressar a mesma ideia. Monteiro Lobato, já adulto, relatava com encanto as descobertas de suas valiosas "excursões pelos dicionários", redescobrindo palavras e até mesmo refletindo a relação entre seu significado e seu som. Lembrava, por exemplo, que a palavra "ternura" parece ser tão doce de pronunciar quanto o sentimento que expressa e destacava que a palavra "estampido" parecia ter um som estranho para algo que expressa o vigor violento de um tiro. Desnecessário lembrar que essas reflexões, essas descobertas, esses "passeios" pelo mundo sonoro das palavras e pela singeleza de sua grafia representam valiosas experiências de estimulação verbal, necessárias de serem compartilhadas com alunos e filhos.

Em faixas etárias acima dos 7 anos, jogos operatórios como o jogo de palavras ou o jogo do telefone, desenvolvidos em sala de aula pelos alunos em grupo, representam importantes instrumentais estimuladores da inteligência linguística, como também o são as leituras ou a reescrita de histórias, reais ou não. O desafio passado aos alunos para que "reescrevam" a notícia tirada do jornal, mantendo sua bagagem informativa, mas construindo outras imagens, simboliza um modelo interessante de estímulo dessa forma de inteligência. Chico Buarque de Holanda, em muitas de suas letras, mas principalmente em *Construção*, mostra com clareza aonde pode nos levar uma viagem pelo mundo das imagens estruturadas pelas palavras. O gosto pela leitura, a delicada interpretação de cada palavra, o "passeio" por um dicionário e o prazer da descoberta de novas palavras, o "encantamento" na seleção dos *outdoors* mais expressivos e de jogos operatórios como o "Cliber" e alguns outros também representam meios estimuladores dessa forma de inteligência.

O pesquisador Peter W. Jusczyc, da Universidade Johns Hopkins, concluiu com suas experiências que bebês de colo escutam e até "gravam" palavras, aprendendo seus ritmos e sons. Durante dez dias, crianças de oito meses foram colocadas ouvindo histórias infantis; quinze dias depois, foram colocadas entre dois alto-falantes que emitiam ou não palavras existentes nos contos que haviam escutado. Jusczyc notou que os bebês davam mais atenção às palavras que já haviam escutado nas histórias do que às que desconheciam, ao contrário de um grupo de crianças que não tinham ouvido os contos e, portanto, não mostravam maior ou menor interesse por uma ou outra palavra. Os resultados indicam que, a partir dos oito meses, as crianças começam a gravar na memória palavras que ocorrem frequentemente na linguagem, e que essas palavras são fundamentais para a aprendizagem da fala. Os pesquisadores sugerem que contar histórias para crianças, desde a mais tenra infância, constitui uma prática sadia para que possam ampliar suas inteligências linguísticas.

A relação de alguns estímulos para o desenvolvimento da inteligência linguística parece confundir as formas de expressão escritas ou orais. Não há, entretanto, necessidade de separá-las, e estudos neurológicos recentes já determinam convincentemente que a linguagem escrita se apoia na linguagem oral, mostrando que não é possível uma leitura normal quando áreas da linguagem oral são danificadas. Dessa maneira, parece ser válido concluir que, embora a linguagem possa ser transmitida por gestos e sinais, permanece em seu centro o trato vocal e, em torno dele, outras formas de expressão. Assim, a criança que representa uma cena por mímica, "fala silenciosamente" o que pretende expressar, da mesma maneira que, ao escrever, estamos "falando" silenciosamente os conteúdos que desejamos transmitir.

A importância cultural que no Ocidente se dá à oralidade já revela que essa inteligência constitui a ferramenta estrutural de todas as outras. De qualquer forma, a inteligência verbal relaciona-se com maior intensidade com a lógico-matemática e a cinestésica corporal.

9
QUAL A INTELIGÊNCIA DOS GRANDES ESPORTISTAS?

O jogo de futebol encontra-se em seus instantes decisivos. A bola vem para a área, cruzada da esquerda para a direita, em direção ao atacante que está de costas para as traves. Os zagueiros tentam desviá-la, mas, rapidamente, o atacante joga o corpo para o ar e toca o pé direito na bola, dando uma "bicicleta" e impulsionando a bola para o arco às suas costas, surpreendendo os adversários. O público "explode" em entusiasmo e, em certos aspectos, a jogada e, consequentemente, o gol resolveram um problema crucial, e sua mobilidade corporal constituiu fator essencial do sucesso. O gol e, portanto, a solução do problema não ocorreram apenas por fatores de ordem cognitiva; o atacante "sabia" que uma bicicleta, isto é, uma cambalhota que alcançasse a bola, poderia atirá-la à meta, mas isso, certamente, milhares de espectadores também sabiam. A solução de seu problema, portanto, não decorreu somente do conhecimento de uma solução desejável, mas da operacionalização prática desse conhecimento por meio de uma movimentação corpórea expressiva.

Essa ação futebolística, que certamente se aplicaria também no caso da "cesta de três pontos decisiva" do basquete, ou na genial jogada do handebol ou outro esporte, constitui uma característica marcante da inteligência cinestésica corporal. Presente em atletas de diferentes modalidades esportivas, é bastante desenvolvida também em artesãos, mímicos, atores, instrumentistas, dançarinos e muitos outros. Dessa maneira, Garrincha, tão limitado em sua oralidade e em seu domínio conceitual concreto, é exemplo extraordinário de portador dessa inteligência, como também Pelé, Zico, Nureyev, Baryshnikov e inúmeros outros.

A característica essencial dessa inteligência é a capacidade de usar o próprio corpo de maneira altamente diferenciada e hábil para propósitos expressivos que, em última análise, representam solução de problemas. Outro elemento marcante dessa forma de inteligência é a capacidade de trabalhar habilmente com objetos, tanto os que envolvem a motricidade dos dedos quanto os que exploram o uso integral do corpo.

Um tecladista, por exemplo, manifesta sua expressão corporal com o uso dos dedos e um hábil atirador, com a precisão do toque de um único dedo, usa essa inteligência tão intensamente quanto um mímico que, com movimentos corporais, demonstra formas de objetos, animais, personalidades e até mesmo conceitos abstratos como alegria, tristeza, liberdade e opressão, beleza e feiura.

O desenvolvimento da inteligência cinestésica corporal é, infelizmente, muito prejudicado na cultura ocidental pela preconceituosa visão de que "coisas da cabeça valem bem mais do que coisas do corpo", mas, abstraindo dessa faceta cultural, o uso hábil do corpo foi importantíssimo para a humanidade durante milhares de anos. Na Antiguidade clássica, os gregos reverenciavam a beleza da forma humana e promoviam, com entusiasmo, atividades artísticas e atléticas para que a manifestação da linguagem corporal mostrasse graça e equilíbrio, percebendo de forma integrada o sentido da "beleza" entre corpo e cabeça. A máxima *mens sana in corpore sano*, que com tanta insistência hoje se propaga, é, para a cultura contemporânea, muito mais um *slogan* do que a meta avidamente perseguida pelos gregos.

A inteligência corporal, como demonstra Gardner, pode tanto ser identificada por sua localização no cérebro quanto por sua expressão em isolamento. Ao que tudo indica, o centro dessa inteligência localiza-se no lado esquerdo do cérebro, ainda que não se tenha plena certeza de que tal posição seja válida para todas as pessoas, sobretudo para as canhotas. A identificação dessa inteligência em separado, em casos de apraxia, isto é, conjunto de transtornos físicos relacionados, nos quais indivíduos capazes de entender ordens para atividades motoras sejam incapazes de realizá-las, comprova sua identidade. Nesse contexto, algumas apraxias altamente específicas já foram identificadas: ocorrem casos de pessoas que têm dificuldades para se vestir, outras não conseguem executar movimentos separados com as mãos, outras, ainda, são incapazes de cumprir uma sequência de ações motoras. Outra constatação da existência dessa inteligência isoladamente ocorre nos casos de indivíduos que tiveram suas capacidades lógico-matemática e linguística devastadas, sem que o acidente afetasse o desenvolvimento de atividades motoras, mesmo as mais refinadas.

Um caso brasileiro que chama a atenção, salvo mais perfeita análise, é o do pianista João Carlos Martins, atingido por uma barra de ferro em um assalto e que pôde recuperar parte de sua mobilidade motora voltando a ser o brilhante pianista que sempre foi, sem que essa agressão implicasse a perda de suas outras inteligências. Segundo relatos de amigos do artista, ele tem dificuldade em levar uma colher à boca, mas nenhum impedimento para que seus dedos percorram com suavidade e rapidez o teclado do piano.

Constitui um campo de estudos de acentuado interesse neurológico e expressivo avanço nas técnicas de reabilitação motora, a modalidade conhecida como *biofeedback*, em que computadores sinalizam os esforços do paciente e assim o estimulam a buscar nas células nervosas não atingidas a "aprendizagem" para a execução de tarefas motoras antes desempenhadas por células mortas. Esse sistema, desenvolvido inicialmente nos Estados Unidos pelo cientista Bernard Brucker, parece constituir a mais evidente comprovação de que a inteligência cinestésica, mesmo quando lesada por um derrame, uma isquemia ou um traumatismo, pode "aprender a aprender" e, dessa forma, retomar movimentos que se mostravam irrecuperáveis quando da perda. As Faculdades Sant'Anna, de São Paulo, preocupadas em trazer para o país os recursos dessa tecnologia, conseguiram montar em uma de suas unidades o primeiro centro de reabilitação motora por *biofeedback* fora dos Estados Unidos, supervisionado diretamente por seu criador.

O *estímulo* da inteligência cinestésica corporal vai muito além das atividades motoras praticadas nas academias e nas salas de aula, ainda que estas não possam, de forma alguma, ser negligenciadas. O *aprimoramento do tato*, explorando a sensibilidade e chegando, quem sabe, até mesmo à leitura em braile para crianças que não necessariamente tenham problemas visuais, o desenvolvimento de estímulos para aumento da *sensibilidade olfativa* e, principalmente, o *aumento da capacidade do paladar* constituem apenas alguns dos elementos que, inexplicavelmente, distanciam-se de nossos projetos escolares. Escolas que descobrem e animam os alunos a se envolver em atividades ligadas à costura, à tecelagem, à carpintaria, aos consertos elétricos domésticos ou à construção de mensagens mímicas ou gincanas que explorem essas iniciativas desenvolvem essa inteligência de maneira bem mais lúdica do que outras que impõem ao aluno a "tortura" inominável de condená-lo por horas seguidas à imobilidade. Em um livro publicado há mais de dez anos (*Manual de técnicas de dinâmica de grupo, sensibilização e ludopedagogia*), e traduzido para o espanhol pela Editora Lumen, de Buenos Aires, já mostrávamos que o desenvolvimento dessas habilidades, em sala de aula, poderia ser promovido com extrema facilidade, sem custos adicionais e sem prejuízo do doentio complexo *conteudístico* da educação brasileira convencional. Longe de ser original, essa obra é apenas mais uma que insiste em um ponto que parece de difícil trânsito. O aperfeiçoamento da inteligência cinestésica corporal não traduz apenas resultados específicos, mas amplia a relação da pessoa com o mundo e dimensiona o convívio em bases mais completas.

Mesmo no caso da *atenção*, tão cobrada e reclamada, mas jamais ensinada em nossas escolas, há indícios seguros do sucesso com o emprego sistemático de alguns exercícios específicos. Diante desse quadro, parece importante destacar que o estímulo dessa inteligência deve ser promovido com a prática de esportes múltiplos, com a popularização de jogos tradicionais (torneios internos de pipa, bolinha de gude e outros), com a "viagem para outras culturas através da descoberta de alguns de seus folguedos", com programas que disciplinem, sistematizem e saibam avaliar o aprimoramento do tato, do paladar, do olfato, da atenção, com atividades teatrais e circenses como jogos mímicos diversificados, mas principalmente com a plena aceitação, por parte de pais e educadores, do fato de que a educação integral do corpo é possível e plausível até mesmo para harmonizar melhor o desenvolvimento mental.

Outro caminho estimulador expressivo para a inteligência cinestésica corporal consiste no uso mais frequente de habilidades operatórias na sala de aula e no modelo dos instrumentos de avaliação. Jerome Bruner, um dos mais respeitados educadores contemporâneos, enfatiza o desenvolvimento de habilidades para todos os tipos de operações cognitivas. Interpretando a construção do conhecimento como uma viagem pelo domínio das habilidades, mostra, por exemplo, que a criança primeiro alia o olhar, para, em sequência, desenvolver o agarrar e, depois, o morder. Nesse contexto, a inteligência cinestésica corporal seria beneficiada por operações complementares do conhecimento. O aluno que *descobre* o relevo no caminho de sua casa para a escola, *compara-o* quando desenvolve um estudo do meio, *interpreta-o* quando adquire bagagens da presença do ontem no hoje, *deduz* sua analogia com formas de relevo descobertas nas leituras e nos mapas, podendo até mesmo *classificar* as formas identificadas.

O momento mais expressivo para o estímulo dessa inteligência pode ser extraído dos estudos de Piaget, ainda que esse educador não tenha estendido suas pesquisas para essa área específica do cérebro. A fase sensório-motora da criança parece revelar o momento inicial desses estímulos que, dessa forma, podem ser promovidos com maior intensidade, do primeiro ao sexto ano de vida, prosseguindo depois pela vida adulta até a mais avançada idade. Experiências desenvolvidas por degustadores de vinho mostraram extraordinário progresso revelado por alunos com mais de 55 anos de idade.

10
EXISTE MESMO UMA INTELIGÊNCIA MUSICAL?

Considerando o elenco das inteligências de uma pessoa, a mais facilmente identificada, mas também a mais "rotulada" é a inteligência musical. Em praticamente todas as culturas, sabe-se quais as crianças que "levam jeito" ou "dispõem de bom ouvido" para o canto ou para a música e, por exclusão, quais as que revelam acentuado fracasso em suas tentativas. Ainda que não se considere em geral essa competência como inteligência, com frequência, ela é considerada um "talento".

Existem, entretanto, significativas diferenças entre o que hoje se conhece sobre a inteligência musical e a ideia que se faz de um "talento". Em primeiro lugar, é importante perceber que o talento é, por definição, uma capacidade excludente. Jamais se acredita que todos possuam talento para tudo e, assim, os que o apresentam se destacam dos demais. Além disso, a ideia que se faz do talento é que ele se apresenta praticamente "pronto" nas pessoas e que, quando surge, quase sempre dispensa aperfeiçoamento. A ideia sobre inteligência é bem diferente. Todas as inteligências existem em quase todas as pessoas e as poucas que não as possuem são claramente identificáveis por seus problemas de autismo ou deficiência neurológica congênita. É possível perceber que, em algumas pessoas, este ou aquele espectro de uma ou mais de suas inteligências pode ser mais acentuado ou mais limitado, mas, em todas as pessoas, todas as inteligências se apresentam prontas para serem estimuladas. Além disso, por mais vasto que possa ser o espectro desta ou daquela inteligência, seu desenvolvimento é notório quando estimulado no apogeu da abertura de sua janela e quando do uso de procedimentos adequados.

Essas considerações, portanto, mostram que a inteligência musical, assim como as demais, não pode ser confundida como um talento, e que sua competência se manifesta, desde muito cedo, pela facilidade em identificar sons diferentes, perceber as nuanças de sua intensidade, captar sua direcionalidade. Especificamente na música, a inteligência percebe com clareza o tom ou a melodia, o ritmo ou a frequência e o agrupamento dos sons e suas características intrínsecas, geralmente denominadas de timbre.

Da mesma forma como ocorre com outras inteligências, ainda que de maneira agora bem mais nítida, são facilmente percebidos os *signos do alfabeto musical* (as *notas* representam para a inteligência musical o mesmo sentido que as *palavras* representam para a inteligência linguística, os *sinais geométricos e números* para a inteligência lógico-matemática, os *ícones cartográficos* nas legendas dos mapas para a inteligência espacial e os *gestos* agressivos ou amistosos para a cinestésica corporal) assim como sua manifestação entre pessoas com possibilidades de aperfeiçoamento erudito e os compositores populares. Nesse particular, o Brasil, por ser um país muito sonoro, abriga exemplos notáveis como Carlos Gomes, Villa-Lobos e outros, ao lado de Pixinguinha, Cartola e vários outros, ainda que seja importante lamentar que o Brasil não valorize, como por exemplo a Áustria, a Hungria ou o Japão, a alfabetização musical. Um jovem brasileiro musicalmente analfabeto não causa a mesma consternação que provocaria ele ser um analfabeto linguístico, e nem as famílias brasileiras perceberam o ilimitado alcance de estímulos na "arte de ouvir". No Japão, é comum a criança desenvolver como componente indissolúvel de sua educação infantil a alfabetização musical, não apenas para despertá-la para uma nova dimensão de sua interação com o mundo, mas principalmente para fazê-la capaz de expressar seus sentimentos e seu conhecimento através também do som.

No continente europeu, durante as duas primeiras décadas do século XX, houve extraordinário interesse no desenvolvimento das habilidades artísticas em crianças. O lado direito do cérebro, onde se localiza o centro da inteligência musical, passou a ser estimulado, e a competência musical viveu momentos de exaltação. Infelizmente, esse interesse não chegou com a mesma intensidade e fulgor à América dita civilizada e a música só não se tornou uma qualidade esnobe pela inquestionável força de sua presença entre os nativos. Quando Gardner afirma que "o interesse musical raramente cruzou o Atlântico", provavelmente se refere ao Atlântico Norte. Os escravos trazidos ao Brasil, mesmo separados por diferentes culturas, sempre revelaram uma fértil musicalidade, que se manifestava quer para exprimir a dolorosa saudade e o banzo insuperável, quer para expressar a euforia possível em seus raros momentos de alegria. O "chorinho", peça inquestionável da musicalidade brasileira, parece ter se forjado na agressão das senzalas para expressar o choro livre, proibido por ser visto como deprimente. O próprio samba rítmico permite, etimologicamente, identificar sua origem africana. Essa palavra, entre os *quiocos* ou *chokwe* de Angola, representa um verbo que significa "cabriolar", isto é, pular, brincar ou divertir-se como um cabrito. Em outro grupo cultural – os *bacongos* –, da mesma região africana, a palavra significa "espécie de dança em que um bailarino bate o peito no outro", mostrando claramente a origem desse ritmo tão marcante da cultura brasileira e presente em nossas terras desde o século XVI.

Tal como ocorre com outras formas de inteligência, também a musical pode ser identificada em separado. Estudos efetuados com pessoas que sofreram lesões cerebrais em decorrência de traumatismo ou mesmo derrame mostram que muitas entre elas podem sofrer sensível perda de alguma inteligência, sobretudo a linguística e a cinestésica corporal, sem qualquer prejuízo em seu domínio e até mesmo em sua memória musical, tanto quanto podem tornar-se musicalmente incapacitadas ainda que retendo outras formas de inteligência. Nessa mesma direção, em quase todas as culturas, são identificáveis casos de grande competência musical em pessoas com sensíveis limitações motoras, verbais ou interpessoais. Reportagem de grande efeito em canal brasileiro de TV mostrou o caso de um jovem japonês, portador de inefável competência musical e verdadeiro gênio em seu piano, incapaz de se alimentar ou se vestir sem a ajuda dos pais. Algumas crianças autistas se mostram fascinadas em seu apego à música ao sentir que esta pode ser a ilha intocada em um oceano de destruição cerebral.

Outro elemento interessante nesses estudos vem dos trabalhos de Le Doux. Esse cientista condicionou a população de ratos de uma gaiola a um ruído sonoro que sempre antecedia choques deliberadamente provocados. Após algum tempo, a emissão do ruído era suficiente para deixar os ratos inquietos e angustiados pelo desconforto inevitável que se seguia a esse som. Tempos depois, por meio cirúrgico, ele extirpou o centro de audição desses ratos, deixando-os irremediavelmente surdos. Colocados em suas gaiolas, esses animais mostravam a mesma inquietação e o mesmo desconforto quando da emissão do ruído, mesmo sendo incapazes de ouvi-lo. Essa experiência mostra que a sensibilidade sonora vai muito além de uma simples audição. É por esse motivo que o feto "ouve" as palavras de ternura de sua futura mãe antes mesmo de dispor de aparelho fonador completo, assim como "ouve" sentimentos de rejeição que, eventualmente, essa futura mãe possa sentir. Talvez, esse poder de "ouvir", mesmo sem a aquisição do som, explique a genialidade de Beethoven, que surpreendeu o mundo por não ouvir suas composições.

O *estímulo* à musicalidade pode, e deve, ser promovido desde a infância mais tenra. Quando os bebês balbuciam, muitas vezes, estão produzindo padrões musicais que repetem os cantos que ouvem em seu acalanto, transmitidos pelas mães ou pelo CD que deve acompanhar seu sono. Gardner, em *Estruturas da mente*, cita Mechthild e Hanus Papusek e seus estudos, que revelam que "bebês de dois meses são capazes de igualar a altura, o volume e o contorno melódico das canções de suas mães e que bebês de quatro meses podem adequar-se à estrutura rítmica também", podendo envolver-se em brincadeiras com som desde que estas apresentem propriedades criativas.

Ao alcançar a metade de seu segundo ano de vida, as crianças começam, voluntariamente, a emitir sons pontilhados, inventando músicas e fazendo com seus devaneios sonoros exercícios não diferentes daqueles analisados na inteligência linguística. Por volta dos 3 ou 4 anos, as melodias da cultura dominante superam essas "produções espontâneas" e é chegado o maravilhoso momento de introduzir como prática doméstica semanal ou programa escolar as aulas de "como ouvir", por meio de excursões ao pátio e, depois, a lugares mais distantes, fazendo-se acompanhar da sempre indispensável anotação e registro analítico de quantos sons foram identificados, de como os alunos percebem sua lateralidade e a partir de que momento já são capazes de classificá-los (sons naturais, sons humanizados, sons mecânicos e outros), e, sobretudo, de qual o progresso individual revelado.

Estímulos desenvolvidos no aperfeiçoamento dessa competência traduziram-se em resultados surpreendentes em dois experimentos distintos realizados com crianças de 4 a 6 anos em escolas do estado de São Paulo. No primeiro caso, os alunos foram separados em dois grupos e assistiram à exibição de uma paisagem em *slide*. Cabia ao primeiro grupo relatar verbalmente, com detalhes, a imagem percebida e, ao segundo grupo, tentar descrevê-la usando apenas sons a serem produzidos com diversos instrumentos sonoros, que incluíam desde teclados e violões até pios de aves usados geralmente por caçadores e adquiridos em casas que comercializam instrumentos para caça e pesca. Esses relatos, verbais e sonoros, foram gravados e, mais tarde, comparados com os apresentados por outros grupos de escolas diferentes, que também foram convidados a vivenciar a experiência. Surpreende a identidade dos sons produzidos, que, em alguns casos, até mesmo supera a identidade dos relatos verbais.

Uma segunda experiência manifestou-se com alunos de 6 anos que, levados a uma excursão ao mesmo local que percorreram seis meses antes, relutaram em "descobrir" que frequentavam o "mesmo" lugar já visitado. Percebeu-se que o lugar era efetivamente o mesmo para o professor que buscava apenas referências visuais em sua identificação, mas "não era o mesmo para os alunos", que agregavam à paisagem seu contorno sonoro. Como este havia mudado sensivelmente (os dois momentos de visita se deram no inverno, bem mais silencioso, e no auge da primavera, emoldurada por cantos de aves e movimento do vento nas folhas), muitas crianças se mostraram surpresas ao ouvir seu professor afirmar que estavam "no mesmo lugar" anteriormente percorrido.

Um elemento que parece importante destacar no estímulo da inteligência musical é a preocupação em separar a aprendizagem da música e a aprendizagem do som. Parece ser mais importante estabelecer que a "linguagem do som" deve ser estimulada em todos, ainda que alguns, certamente com maior competência, possam aperfeiçoá-la com a aprendizagem musical propriamente dita. De qualquer maneira, uma escola aberta ao estímulo das inteligências múltiplas não pode negligenciar sessões de canto, culto a hinos, bandinhas rítmicas, aulas de teclado ou de flauta doce e muitas outras formas de estimulação. Associando a inteligência musical à cinestésica corporal, parece-nos válido que a escola proponha "aulas de dança" e, principalmente, releituras de como músicas e danças expressam outras formas de cultura.

Felizmente, parece estar ficando para trás a preconceituosa ideia de que conhecer outros países significa, apenas, colher relatos descritivos de suas paisagens. Essas paisagens, se enriquecidas por sua sonoridade, e essas culturas, se tornadas vibrantes pela manifestação de suas músicas e danças, correspondem a uma verdadeira inserção do aluno na descoberta do outro e nos valores que os fazem sorrir ou sofrer. Não é difícil, em uma sala de aula, um professor com um simples violão, alfabetizar alunos sobre o significado de notas afinadas ou desafinadas ou, com um gravador, promover uma "excursão" ao mundo da música, através da descoberta dos instrumentos utilizados em uma composição qualquer. É evidente que os alunos que possuírem competência musical mais acentuada caminharão bem adiante dos demais, mas é impossível não levar a todos os princípios de um domínio sonoro significativo.

11
O QUE SE SABE SOBRE A
INTELIGÊNCIA NATURALISTA?

A inteligência naturalista não aparece descrita nas primeiras obras de Howard Gardner. Sua identificação é posterior a esses escritos e, no Brasil, ao que tudo indica, sua primeira revelação surgiu de uma entrevista concedida por Gardner a Maísa Lacerda Nazario para o *Jornal da Tarde* no primeiro semestre de 1996. Nessa entrevista, o pesquisador norte-americano responde:

> Eu agora, na verdade, falo sobre oito tipos de inteligência. A oitava inteligência tem a ver com o mundo natural: ser capaz de entender diferenças entre diversos tipos de plantas, de animais. Todos nós as temos em nosso cérebro.

Considerando essas declarações e outras proferidas e explicadas em importante seminário do qual Gardner participou em São Paulo em julho de 1997, a inteligência naturalista se manifestaria em pessoas que a possuem em intensidade maior do que a maioria das outras; uma atração pelo mundo natural, extrema sensibilidade para identificar e entender a paisagem nativa e, até mesmo, um certo sentimento de êxtase diante do espetáculo não construído pelo homem.

Provavelmente localizada no hemisfério direito do cérebro, a inteligência naturalista destacou-se em pessoas como Darwin, Humboldt, La Condamine, Mendel, Noel Nutels, os irmãos Villas Bôas, Burle Marx, e está presente em muitas pessoas que mal a percebem como singular e em naturalistas, botânicos, geógrafos, paisagistas e jardineiros. Algumas pessoas convivem muito facilmente com essa realidade, mesmo em ambientes restritos, e jamais aceitam uma ideia de casa ou até mesmo de uma mesa sem um vaso de flores, uma pequena planta, pássaros e animais domésticos, em clara oposição a outras que aceitam com naturalidade a substituição desses elementos por flores artificiais ou imitações eletrônicas de animais domésticos.

Existem numerosas maneiras de *estimular* a criança e o adolescente para essa redescoberta do mundo natural e para o fascínio de desvendar os mistérios da Terra e de seus elementos constituintes. Além do olhar que valoriza o ambiente natural, que necessita ser revelado nas famílias e em salas de aula, é também importante desenvolver "jogos" para aguçar a curiosidade da criança de maneira divertida e da forma mais espontânea possível. Pais e professores que, ao presenciar uma criança seguindo uma formiga, seguirem-na também e acrescentarem a essa "aventura interativa" a colocação de problemas do tipo "onde você acha que ela mora ?", "o que será que ela está fazendo?", "será que a casa dela é igual à nossa?", certamente, estarão estimulando a sensibilidade que envolve essa competência. Assim como esse estímulo espontâneo, que depende de uma iniciativa da criança, outras atividades podem se incorporar a um projeto de educação naturalista desenvolvido por pais ou professores.

A presença de um rio ou riacho nas proximidades da escola, ou em um sítio que se visita, pode oferecer oportunidade para que a curiosidade invada a criança, e ela pode ser estimulada a lançar barquinhos na água para acompanhar o fluxo da correnteza, descobrir o porquê daquele sentido, sensibilizar-se pela construção do conceito de gravidade e até pelo de inércia envolvidos nesse deslocamento.

A associação entre o estímulo naturalista e o cinestésico corporal manifesta-se em excursões de bicicletas programadas, em que importa menos aonde chegar e mais "o que descobrir e, naturalmente, o que relatar em grupo". Um passeio de carro, mesmo o mais rotineiro, pode constituir uma "ferramenta" estimuladora da competência naturalista, se a criança for envolvida por um jogo do tipo "vamos descobrir o que o outro não viu". Nesse caso, cinco minutos de observação silenciosa podem gerar questões como: "onde estava uma trepadeira com flores roxas?", "qual a direção da sombra da seringueira?" e muitas outras.

Parece pedagogicamente pouco significativo, mas é importante a escola transformar uma simples chuva ou uma ventania em aventuras de prospeção pelo pátio da escola ou por seus arredores. Um passeio ao jardim botânico, ao zoológico, à praça pública ou ao bosque pode ricamente se transformar em descoberta de pegadas de animais. E um simples gravador levado a esses ambientes pode trazer o passeio à sala de aula. Percebe-se por essas propostas que o estímulo da inteligência naturalista caminha ao lado do exercício cinestésico corporal e interage com a sensibilidade olfativa e auditiva e com o emprego de múltiplas habilidades operatórias. A criança, ao descobrir o mundo maravilhoso da natureza, acaba por comparar, relacionar, deduzir, classificar, analisar, sintetizar. É essencial que o professor saiba levá-la a construir essa identificação e saber diferenciá-la em relatórios verbais ou escritos eventualmente solicitados.

Ao lado de algumas atividades programadas, a escola pode sugerir aos alunos e a seus pais outras de natureza facultativa como, por exemplo, a criação de um clube de caminhadas e, se dele fizerem parte crianças com menos de 6 anos, não há mal algum em acrescentar a essa aventura a liberdade ao imaginário, que inclui a "caçada a monstros", desde que se desmistifique esse conceito.

A rigor, monstro é "um ser de conformação extravagante" ou "figura colossal" e, dessa maneira, uma árvore ou mesmo um inseto pode dar feições de relevância a essa caçada. Outro procedimento nem sempre fácil para a escola, mas importante, ainda que desenvolvido uma vez por ano, é um "acampamento" dentro da escola, para a descoberta da noite. Em nossa cultura, a escuridão não é habitualmente explorada e atrai sobre esse desconhecimento um estigma de mistério. Isso facilmente se desfaz com uma expedição noturna, em uma noite de lua, com crianças de 6 a 8 anos, na qual, auxiliadas por lanternas, descobrirão como se orientar pela lua ou por constelações como o Cruzeiro do Sul. Descobrir os desenhos das estrelas no céu noturno e, após uma pesquisa, descobrir hábitos de animais notívagos, ao mesmo tempo que estimula a percepção naturalista, abre campo para a construção de conceitos que representavam valores científicos de comunidades antepassadas.

Foram extremamente positivos experimentos que realizamos com crianças de 5 a 7 anos sobre o aprimoramento auditivo pela identificação de pios de aves silvestres adquiridos em casas especializadas. Essa atividade, voltada para o aprimoramento da inteligência musical, pode ser complementada com o imaginário e a consequente espacialidade e, naturalmente, servir de estímulo à descoberta do mundo natural. Assim como a descoberta da noite enriquece a criança e torna sua infância ainda mais inesquecível, é imenso o valor de levá-la a "descobrir o mar", "a tempestade" e outros elementos do mundo natural. É importante realçar a imensa diferença de uma excursão a uma praia com finalidade apenas recreativa e outra, em que exista recreação, mas esta se associe à exploração natural. Em síntese, podemos afirmar que um passeio ao litoral, a um rio, um bosque ou uma fazenda pode se transformar em excepcional recurso para o estímulo da inteligência naturalista, mas também, e ao lado dela, da:

- Inteligência linguística ou verbal
  Com a criação de círculos de debates para estabelecer roteiros, revelar descobertas, contar histórias, apresentar relatos e, principalmente, estimular descrições de composições vistas por alguns e que devem ser "compreendidas por outros" em seus relatos a terceiros.

- Inteligência musical
  Com experiências relacionadas a "como ouvir" e jogos grupais em que se definam concursos sobre identificação de sons produzidos após passeio por roteiro predeterminado ou produ-

zidos artificialmente por outros grupos, um professor, distante do local em que se encontram os alunos, com um apito produzido em momentos diferenciados, pode estimular a tentativa de descobertas sobre em que locais esteve, que roteiro desenvolveu em seu caminhar.

- Inteligência espacial
  O estímulo para fundamentos da alfabetização cartográfica deve ser explorado. A descoberta do local deve ter início com sua localização espacial e todas as referências posteriores devem brindar a identificação de pontos cardeais e colaterais. O uso da escala necessita estar presente no traçado de roteiros e em mapas "do tesouro". A criação de uma planta do local deve ser tarefa estimulada, que não se esgota com a planta concluída, pois a cada atividade esse registro deve ser modificado. É importante priorizar comparações entre o espaço construído e o espaço natural, e o aluno precisa ser estimulado a perceber "o ontem no hoje" em múltiplos ambientes.

Desnecessário nos parece acrescentar que essas atividades propiciam treinamentos válidos para a sociabilidade e a empatia, fazendo crescer oportunidades para jogos também estimuladores das inteligências pessoais.

12
PODEMOS FALAR EM UMA INTELIGÊNCIA PICTÓRICA?

Gardner, em suas obras, não fala na inteligência pictórica e nem mesmo a aceitou quando "apresentado" a ela por Nilson Machado em um seminário sobre inteligências múltiplas realizado em São Paulo e ao qual já nos referimos. Ele não duvida de que competências pictóricas e a consequente capacidade de reproduzir ou criar imagens por meio de traços ou cores sejam inerentes ao ser humano, e que ela se mostra particularmente elevada em poucos, mas não acredita que essa possibilidade caracterize uma inteligência e, portanto, passe pelos oito pontos básicos para sua existência, que analisamos no capítulo 5.

Em sua obra *Mentes que criam*, Gardner analisa cuidadosamente o talento e o prodígio de Picasso e destaca-o como verdadeiro ícone caracterizador das inteligências espacial, cinestésica corporal e interpessoal. Acredita que o pintor, o ilustrador ou mesmo o especialista em computação gráfica não expressem a qualidade específica da inteligência pictórica, como pretende Machado, mas externem sensibilidade *espacial* para captar a composição que ilustram, destreza *cinestésica* para executar essa composição e até mesmo a capacidade de administrar a percepção *interpessoal* sobre como outras pessoas podem valorizar os traços ou a pintura que apresentam. Em síntese, podemos identificar a polêmica: para Nilson Machado, a extrema competência pictórica é uma inteligência, para Gardner, ela é o fluxo de três inteligências atuando de forma simultânea.

Para o educador, essa polêmica não necessita, no entanto, atravessar os limites acadêmicos de sua discussão; bem mais importante que aceitá-la como independente ou não parece ser a capacidade de pais e professores para: 1) saber percebê-la; 2) reconhecê-la como linguagem autônoma que, portanto, pode representar expressão válida do conhecimento; e 3) descobrir "ferramentas" capazes de estimulá-la.

A percepção da inteligência (?) pictórica é identificada pela capacidade de expressão por meio do traço, pela sensibilidade para dar movimento, beleza e expressão a desenhos e pinturas, pela autonomia para apanhar as cores da natureza e traduzi-las em uma apresentação, seja pela pintura clássica, seja pelo desenho publicitário. Manifesta-se também pela formidável síntese expressa em algumas caricaturas, pelo uso de linguagens específicas de computador.

É assim a inteligência de Pablo Picasso, e certamente também a de precursores renascentistas extraordinários como Giotto e Botticelli, e naturalmente Rafael, Leonardo da Vinci, Michelangelo e muitos outros vultos do renascimento de várias origens. Da mesma forma como outras inteligências, a competência pictórica pode alcançar pessoas simples – belíssimos quadros são vistos em obras primitivas – e revelar progresso sensível, claramente expresso, entre outras, nas obras de nosso Portinari. Mas essa habilidade não reside apenas na pintura. As histórias em quadrinhos destacam expressivos modelos dessa capacidade de imprimir força, beleza e movimento aos traços, e cartunistas como Bill Anderson, criador de Calvin e Haroldo, e muitos outros possuem certamente extraordinário poder de "falar" usando a linguagem pictórica.

Localizada em ponto a ser definido do hemisfério direito do cérebro, nessa inteligência, é bem mais difícil reconhecer o valor de expressão do saber do que propriamente admiti-la como muito expressiva em algumas pessoas. A metáfora que apresentamos a seguir, extraída de nosso livro *Marinheiros e professores*, publicada pela Editora Vozes, procura ilustrar, ainda que com sarcasmo, o difícil reconhecimento pedagógico do saber de um aluno com essa inteligência.

O Luisinho da segunda fila

Marcelo é um excelente professor de geografia. Na aula sobre o Pantanal, até excedeu-se. Falou com entusiasmo, relatou com detalhes, descreveu com precisão. Preencheu a lousa com critério, soube fazer com que os alunos descobrissem na interpretação do texto do livro a magia dessa região quase selvagem. Exibiu um vídeo, congelou cenas e enriqueceu-as com detalhes, com fatos experimentados, acontecimentos do dia-a-dia de cada um.

Em sua prova, é evidente, não deu outra: uma redação sobre o tema e questões operatórias que envolviam o Pantanal. Seus rios, suas aves, sua vegetação... a planície imensa. Os alunos acharam fácil. Apanharam suas folhas e começaram a trazer, palavra por palavra, suas imagens para o papel. As canetas corriam soltas e as linhas transformavam-se em parágrafos. Marcelo sabia o quanto teria de corrigir, mas vibrava... Sentia que os alunos aprendiam. Descobria o interesse que sua ciência despertava. Não pôde conter uma emoção diferente quando Heleninha, sua aluna predileta, foi até sua mesa e arfante solicitou:

– Posso pegar mais uma folha em branco?

O único ponto de discórdia, o único sentimento opaco que aborrecia Marcelo, era o Luisinho, aquele da segunda fila. "Puxa vida!", pensava. Luisinho assistira a todas as suas aulas, arregalara os olhos com as explicações e agora, na prova, silêncio absoluto, imobilidade total... nem sequer uma linha. Sentiu ímpetos de esganar Luisinho. Mas, tudo bem, não queria se irritar. Luisinho pagaria seu preço, iria certamente para a recuperação. Se duvidassem, poderia, até mesmo, levá-lo à retenção. Seria até possível arrancar um ano inteirinho de sua vida.

Minutos depois, avisou que o tempo estava terminando. Que entregassem as folhas. Viu então que, rapidamente, Luisinho desenhou, na primeira página das folhas de prova, o Pantanal. Rico, minucioso, preciso. Marcelo emocionou-se ao ver aquele quadro de irretocável perfeição nas mãos de Luisinho, que coloria as últimas sobras. Entusiasmado, indagou: "E aí, Luís, você já esteve no Pantanal?" Não, Luisinho jamais saíra de sua cidade. Construiu sua imagem com base nas aulas assistidas. Marcelo sentiu-se um gigante e, de repente, descobriu-se o próprio Piaget. Havia, com suas palavras, construído uma imagem completa, correta e absoluta na mente de seu aluno.

Mas deu zero na redação. É claro. Naquela escola não era permitido que se rabiscassem as folhas de prova. A história de Luisinho repete-se em muitas escolas. Sua inteligência pictórica é imensa, colossal, lúcida, clara e contrasta visivelmente com as limitações de sua competência verbal. Expressou o que sabia, da maneira como conseguia. Mas não são todos os professores que se encontram treinados para ouvir linguagens diferentes das que a escola institui como única e universal.

Existem muitas maneiras, em casa e na escola, de *estimular* essa capacidade. O primeiro desafio a ser vencido consiste em abandonar a ideia de que a "beleza" de uma reprodução pictórica está limitada à capacidade de cópia do objeto que se quer representar. A criança "vê" a natureza de forma diferente do adulto, *valorizar sua representação* é aceitar outras maneiras de identificar essa visão. Se o cavalo desenhado por uma criança de 5 anos se parece muito diferente da forma como enxergamos cavalos, é provável que exista muito mais uma deficiência na aceitação de que existem outras maneiras de ver coisas do que uma limitação no desenho, e também uma correção preocupada em mostrar se o cavalo está certo ou errado. Desenho não é fotografia e não podemos esperar que se enquadre nas limitações desta. A criança, quando desenha, enxerga o que seus olhos percebem, mas também, e principalmente, o que percebe sua espacialidade e, dessa forma, não pode ser limitada a fazer desenhos "bonitos" apenas porque eles se parecem com fotografias.

O simples reconhecimento óbvio de que "pessoas diferentes enxergam as coisas de maneiras diferentes das quais enxergamos" já representa uma aceitação mais ampla da criatividade do desenho e essa criatividade precisa ser estimulada. No exemplo ilustrado pela metáfora descrita, seria absurdo o professor Marcelo ignorar que Luisinho efetivamente aprendeu tudo sobre o Pantanal, ainda que sua expressão desse saber se mostrasse diferente do esperado.

A aprendizagem é um processo autônomo que se subordina a imagens, crenças e conhecimentos registrados no cérebro de quem os recebe e, dessa forma, reproduz literalmente o que o professor disse, de maneira alguma identifica a aprendizagem significativa.

Nas famílias e nas escolas, o estímulo da capacidade pictórica precisaria passar por exercícios em que os alunos fossem levados a "contar" o que aprenderam, usando outras formas de linguagem. Assim como é possível descrever um conceito com palavras, é possível pensar que outros signos, além das letras, possam ser usados para sua expressão. Nesse sentido, por que não estimular o aluno a descrever usando *sons*, *gestos*, e, no caso específico da inteligência pictórica, apenas a desenhar? O pai que "brinca" com a filha pedindo que ela desenhe sua "raiva", sua "alegria", sua "esperança" é tão importante estimulador da linguagem pictórica quanto o que aceita que a criança possa identificar cores alegres ou tristes, sisudas ou barulhentas. Afinal de contas, nossa tradição cultural já há muitos anos não aceita cores frias e quentes? Por que então não estender essa percepção pictórica para formas de expressão bem mais amplas?

Nas escolas em que trabalhamos, sempre estimulamos o desenvolvimento de um jogo operatório a que demos o nome de "Legenda criativa" e que solicita aos alunos, individualmente ou em grupo, que busquem colocar os fundamentos de um saber (que poderia muito bem ser a descrição do efeito estufa, a explicação sobre o efeito das placas tectônicas na geração de vulcões, os conteúdos multidisciplinares ou específicos de qualquer componente curricular) nas *bocas* e, principalmente, nas *expressões* de personagens colhidos em histórias em quadrinhos cujo balão tenha sido esvaziado para permitir a geração da mensagem. É importante destacar que a análise dos trabalhos apresentados não se limita a saber se os conceitos foram ou não expressos de forma correta, mas, principalmente, se a fisionomia do personagem expressa a emoção e a lógica das palavras que é levado a dizer.

A ilustração a seguir expressa essa tentativa. Nela, percebe-se que os balões originais de Bill Anderson foram esvaziados e ampliados para dar origem a uma mensagem que se liga a um texto estudado. Além de estimular uma aprendizagem significativa e criar conexões que levem ao domínio conceitual, a atividade é curiosa experiência de exercício da expressão pictórica.

Parece evidente que exercícios dessa natureza sejam apresentados apenas como modelos. Com base neles, outras experiências podem ser desenvolvidas, incluindo desde a aprendizagem de como observar obras de arte até estímulos para levar os alunos a "descobrir" Monet, Picasso, Portinari ou outros símbolos da pintura, e reproduzir fatos do cotidiano ou da paisagem escolar baseado no estilo do pintor estudado. Vista como forma de linguagem, essa inteligência se relaciona com a inteligência linguística, a espacial, a musical e ainda outras.

Experiências que visam integrar a comunicação gráfica com a expressão verbal ou sonora geralmente se traduzem em sugestivas descobertas pedagógicas.

13
PODEMOS ADMITIR A EXISTÊNCIA DE UMA INTELIGÊNCIA ESPIRITUAL?

A admissão ou não da existência de uma nova inteligência não pode ser confundida com o reconhecimento de que, em algumas pessoas, certos aspectos de alguns talentos parecem ser exacerbados. Dessa maneira, pessoas com fervor religioso extremo, outras que afirmam ouvir vozes e mensagens metafísicas, ainda aquelas que se entregam à doação ao outro, colocando essa missão muito acima de interesses pessoais, ou até mesmo fundamentalistas suicidas, que, em nome da fé, transformam-se em bombas vivas para destruir inimigos ou supostos inimigos da fé, constituem fenômenos evidentes em todos os tempos, sem que se possa com certeza afirmar que essas pessoas apresentem uma acentuada inteligência espiritual.

Howard Gardner chega a acreditar que talvez possa existir alguma forma específica de inteligência, a que chama de espiritual, classificando-a como "meia inteligência". Assim, afirma que acredita na existência de oito inteligências e meia, sendo exatamente essa "meia" inteligência a inteligência espiritual. Considerando que esse cientista não acredita, como vimos, na inteligência pictórica, é possível deduzir que sua relação abre espaço para dúvidas sobre a existência ou não da inteligência espiritual. Não a considera "inteira" porque ela não galgou os oito passos essenciais para se identificar com as demais.

Assim, danos cerebrais específicos, que tornam claras algumas outras inteligências, por limitar sua demonstração sem outras limitações, como é o caso da perda de movimentos (inteligência cinestésica corporal) sem a perda da fala, da sensibilidade musical ou de outras inteligências, não parecem ter sido registrados em caso algum. Dessa maneira, até onde se sabe, nada parece indicar que, no cérebro humano, exista um centro específico, definido e localizado que represente a "morada" da inteligência espiritual e que pessoas que sofram traumatismo localizado percam sua "espiritualidade" sem outras perdas sensíveis. Além disso, pessoas de extremado fervor religioso, como Joana D'Arc, Jesus Cristo e mesmo Gandhi, destacaram-se por várias outras inteligências muito altas que parecem ter construído sua força mística, não caracterizando, dessa maneira, casos de *idiots savants*. Os exemplos citados talvez demonstrem bem mais claramente a força da *inteligência interpessoal*, que se manifesta por elaborada descoberta do outro e empenho em sua construção pelos caminhos da fé.

Uma breve análise das condições estruturais essenciais para a caracterização da competência como uma nova inteligência parece tornar claro por que Gardner considera a inteligência espiritual apenas uma "meia" inteligência. Em outras palavras, a tendência à forte espiritualidade passa muito bem por certos quesitos definidores e esbarra em outros. Mais correto seria, portanto, afirmar que, no atual estágio de conhecimento neurológico, não é possível afirmar que exista a inteligência espiritual, circunstância que, entretanto, não exclui a necessidade de estímulos.

A criança precisa ser levada a descobrir o caminho da espiritualidade, independentemente da religião a ser seguida, até mesmo como demonstração dos naturais limites da ciência e do conhecimento acumulado pelo homem. O estudo da vida de alguns santos, a descoberta do fervor apaixonado de Gandhi por sua gente e inúmeros outros exemplos são capítulos da conquista humana que não podem ser esquecidos, acredite-se ou não na existência dessa inteligência.

14
QUAL A DIFERENÇA ENTRE AS INTELIGÊNCIAS PESSOAIS E A INTELIGÊNCIA EMOCIONAL?

A diferença entre inteligências pessoais e inteligência emocional abriga uma formidável polêmica entre Howard Gardner e seu colega Daniel Goleman, ambos da Universidade de Harvard.

À primeira vista, as inteligências pessoais, usadas por Gardner, parecem ser sinônimas da inteligência emocional, relatada por Goleman. Na verdade, entre esses conceitos, existem divergências muito além de palavras diferentes para expressar ideias iguais. O livro de Goleman, *Inteligência emocional*, cita várias vezes as pesquisas de Gardner, mas Gardner descreve essas inteligências como amorais, isto é, acredita que seu estímulo é possível, mas não é certo preconizar se levará o indivíduo ao bem ou ao mal. Um assassino com uma alta inteligência interpessoal cometerá crimes mais perfeitos do que outro assassino sem essa competência, e quanto maior sua inteligência nesse aspecto mais hediondo socialmente seu crime poderá ser. Goleman tem uma visão mais moralista, acredita que todo desenvolvimento da inteligência emocional sempre representará um fio condutor para medidas e procedimentos pessoal e socialmente mais "corretos".

A percepção de Gardner é, naturalmente, extensiva a todas as demais inteligências e, dessa maneira, um indivíduo com alta inteligência linguística pode ser muito mais eficaz para ofender verbalmente as pessoas do que outro que não a apresente. Goleman, ao contrário, quando analisa e exemplifica o uso da inteligência emocional tem em mente *apenas usos positivos da emoção*.

Goleman parece cometer outros equívocos quando sua obra é comparada com a de Gardner. Em primeiro lugar, Gardner esclarece com múltiplos exemplos a diferença entre inteligência e emoção, conceitos que parecem estar misturados nas análises de Goleman; além disso, em algumas de suas sugestões "práticas" sobre o estímulo das emoções, Goleman parece ignorar os fundamentos de Piaget e, dessa maneira, resgata a visão comportamentalista da aprendizagem, que pressupõe que todos podem "aprender" as emoções em vez de serem estimulados a desenvolver ações que os levem a "construir" conexões e, assim, perceber em si mesmos seus componentes emocionais. Goleman deixa transparecer que existe um conhecimento confiável a respeito das emoções e que o papel dos educadores é transmiti-lo; Gardner, embora não revele inteira identificação com a perspectiva construtivista, é grande estudioso da obra de Piaget e parece aceitar que a realidade e o mundo se apresentam mais da maneira como as inteligências os interpretam – com base em informações, ideologias, crenças e experiências – do que em sua aceitação objetiva.

Além dessas divergências, para Gardner, as inteligências pessoais retratam uma simbiose entre a carga hereditária milenar desenhada no mapa genético de cada um e as interações do sujeito com o ambiente social, ao contrário de Goleman, que parece aceitar que as emoções representam dado exclusivo da bagagem hereditária. Essas diferenças, que parecem meramente acadêmicas e que, portanto, não deveriam abrigar espaço em obra desta natureza, são ao contrário muito expressivas. Tudo leva a crer que os meios de estimulação das inteligências emocionais apresentados por Goleman reduzem a aprendizagem à repetição e transformam o sujeito em resultado do meio e não em ator de um ambiente onde se move a história. Por esses motivos, aceitamos algumas excelentes ideias de Goleman, mas procuramos aplicá-las dentro de uma visão construtivista como se mostrará em capítulo específico.

Todas essas divergências, no entanto, não podem obscurecer a importância educacional da obra de Goleman. O que tanto Gardner quanto Goleman aceitam é a importância de ampliar o significado da multiplicidade do indivíduo e de sua singularidade em face do espectro de suas muitas inteligências. Ambos combatem a já combalida ideia de uma "inteligência geral" e repudiam processos educacionais que imaginam que todos são semelhantes e devem dispor de recursos pedagógicos iguais. O modelo de professor que Gardner propõe e que Goleman aceita é aquele que mais se identifica com o professor que, atualmente, ensina pintura: um mestre que conhece mais e que, de aluno em aluno, procura aprimorar habilidades diferenciadas. Em síntese, Goleman e Gardner descobrem e exaltam uma nova definição de um ser humano que merece uma educação centrada na individualidade de suas inteligências e propõem uma nova escola que desenvolva programas de educação para a compreensão e que torne clara a diferença entre inteligência (potencial biopsicológico que todo ser humano possui de forma diferente e que o conduz a buscar soluções) e conhecimento (material com o qual se operam habilidades e se estimulam inteligências).

15
COMO PODEMOS IDENTIFICAR E ESTIMULAR NOSSA INTELIGÊNCIA INTRAPESSOAL?

Rafael e Adriana são irmãos. Rafael tem 20 anos e está cursando Administração de Empresas em uma boa faculdade, e sua irmã, dois anos mais nova, está terminando o colegial. São pessoas muito diferentes. Rafael é um jovem alegre, otimista, bem-humorado, que sabe "transformar em limonada todo limão que recebe". Adora viver, ama seus amigos e, quando se atira a uma tarefa, seja passar um domingo estudando, jogar futebol com os amigos ou participar de uma desafinada roda de samba e chope, age como se pilotasse um avião, com toda a seriedade e toda a responsabilidade, mas também com incomensurável alegria. Conhece-se bem, sabe de suas limitações e parece ter descoberto o que pode e o que não pode superar. Ama algumas coisas que faz e lamenta, sinceramente, outras. Mas não faz destas últimas o peso de uma culpa que carregue com sofrimento. Não gosta de errar, mas aceita o erro como trampolim para tentar outra vez.

Sua irmã é muito diferente. Altamente crítica e perfeccionista, Adriana não se permite um erro, uma fraqueza, um descuido. Parece abrigar dentro de si um policial atento e vigilante, capaz de um severo e imediato castigo a qualquer erro ou a atitudes comuns que, aos olhos de Adriana, parecem erros imperdoáveis. Se passa cinco horas em uma festa e sente que se portou muito bem durante quatro horas e meia, lamenta a vida inteira e protesta ter ido a essa festa apenas porque, nos últimos minutos, sentiu-se infeliz em um comentário, não reconheceu um amigo de infância no primeiro momento ou, inadvertidamente, derrubou um pouco de guaraná sobre o vestido. Por esses acidentes banais, passa a odiar a festa, odiar a lembrança dela e, é claro, odiar-se. Prisioneira da culpa, Adriana é incapaz de construir um modelo sincero e apurado de si mesma.

Adriana e Rafael conversam muito e se estimam com ternura. Rafael sabe que gosta da irmã e sabe que a irmã percebe esse seu afeto; Adriana, ao contrário, adora o irmão, mas acha que Rafael jamais será capaz de sentir essa estima. Rafael segue pela vida com entusiasmo e sempre acredita que o dia que virá haverá de ser sempre melhor do que o dia que passou; Adriana assusta-se com o futuro e prefere se recolher em suas recordações de criança. Tem medo de olhar para frente e, se pudesse, ficaria agarrada a seu ursinho de pelúcia, que ganhou ao completar 3 anos.

Desnecessário lembrar que Adriana e Rafael são situações fictícias, mas ainda mais desnecessário deixar claro que pessoas como os dois existem em toda parte, acompanham-nos em todos os lugares. Rafael é um modelo de alguém com acentuada inteligência intrapessoal, com profundo conhecimento de si mesmo e autoestima elevada. Adriana tem baixa inteligência intrapessoal, não se conhece bem e apresenta reduzida capacidade de se automotivar. Não é correto afirmar que Adriana seja uma pessoa desajustada nem que apresente patologia digna de tratamento, mas é indiscutível que caminha muito próxima à depressão e um transtorno grave em sua vida pode levá-la a pensar em suicídio, sem ser capaz de perceber a transitoriedade do problema.

Na descrição dos casos de Rafael e de Adriana, percebe-se a acentuada diferença entre a inteligência intrapessoal e as outras formas de inteligência já apresentadas. A primeira dessas diferenças é que os sistemas simbólicos de sua representação constituem interpretações particulares de cada cultura e, dessa forma, o comportamento de Rafael não pode ser universalmente considerado como positivo. Para algumas culturas, não existe sinonímia entre alegria e felicidade e é possível alguém com alta inteligência intrapessoal ser uma pessoa circunspecta, aparentemente tímida e verbalmente muito contida. Outra diferença ocorre no fato da estreita ligação entre a inteligência intrapessoal e a interpessoal. Em outros casos, existe identificação e similaridade, por exemplo, entre a linguística e a lógico-matemática, a espacial e a cinestésica corporal, a pictórica e a musical, mas esses eixos de ligação são mais tênues do que os existentes entre as duas inteligências pessoais. Nos casos analisados, seria quase impossível perceber a autoestima de Rafael sem considerar que ele se sente bem em meio a outros e é capaz de compreender os amigos, assim como não seria fácil imaginar Adriana tendo intensas relações interpessoais e compreendendo as amigas muito mais do que a si mesma. É evidente que cada uma das inteligências pessoais apresenta características específicas, mas essas duas formas de conhecimento se encontram intimamente misturadas em todas as culturas conhecidas e o estímulo de uma se associa ao da outra. Nas escolas que desenvolvem a alfabetização emocional, pelo menos em todas que conhecemos e nas quais ajudamos a implantação, não existe o trabalho isolado com cada uma dessas inteligências e, ao aplicar uma estratégia de reflexão como, por exemplo, "eleição", é impossível saber o ponto exato em que o estímulo de uma não interfere no estímulo de outra. Outra diferença entre essas inteligências, muito bem destacada por Gardner, é que censuras em torno de patologias nesses campos costumam ser bem mais fortes do que as que se aplicam em transtornos de outras formas de inteligência. Adriana, para enquadrá-la nessa citação, não seria tão percebida por uma baixa inteligência musical, por exemplo, quanto o é por sua limitação intrapessoal.

Como ocorre com as demais inteligências, salvo a pictórica, é também possível identificar um padrão evolutivo de desenvolvimento dessas inteligências e o centro neural das emoções de onde parecem sair as descargas da raiva, do medo, da incrível sensação de amor, da surpresa, da repugnância, da tristeza e, sobretudo, da felicidade que nos deslumbra por momentos, ainda que não existam razões aparentes para essa manifestação. Existem nos cérebros humanos as amígdalas, uma para cada hemisfério, que são feixes nervosos em forma de amêndoa (daí seu nome), com estruturas interligadas, localizadas acima do tronco cerebral, próximas da parte inferior do anel límbico. Ao que tudo indica, essas estruturas límbicas são responsáveis pela maior parte do aprendizado do cérebro, sobretudo no que diz respeito às emoções. Se extirpadas, o resultado é a incapacidade de avaliar o significado emocional dos fatos e a consequente "cegueira afetiva". Verdadeiro "depósito da memória emocional", como descreve Goleman, a "vida sem amígdalas é uma vida privada de significados emocionais". O caso Phineas Gage, ocorrido nos Estados Unidos há cerca de 150 anos, parece confirmar as citações de Goleman. Estudos e pesquisas desenvolvidos com ratos por Joseph Le Doux, neurocientista do Centro de Ciência Neural da Universidade de Nova York, permitem mostrar as relações entre as inteligências pessoais e as outras.

O caso Phineas Gage é encontrado em numerosas obras sobre neurologia, e o analisamos em uma das respostas apresentadas em nosso pequeno livro *A inteligência emocional na construção do novo eu*. Reproduzimos a seguir esse caso:

> Phineas Gage era um operário da construção de ferrovias nos Estados Unidos. Um dia, ao pisar acidentalmente sobre uma porção explosiva usada para dinamitar rochas, provocou a impulsão de uma barra metálica de três centímetros de diâmetro, que, atirada ao ar, atravessou sua cabeça na parte média do lobo frontal.
> Por incrível que pareça, Phineas resistiu e, levado a um hospital teve a barra extraída, naturalmente com muito estrago, mas sem danos vitais. Após algum tempo, recuperou-se e pôde voltar ao trabalho. Só que uma coisa incrível aconteceu com Phineas. Ele, que era um "cara" tido como muito legal, muito bem-educado, "amigão" de toda gente, ótimo papo e sempre de muito bom humor, tornou-se um sujeito prepotente, estúpido, altamente agressivo, irreverente, cometendo até mesmo atos de desonestidade impossíveis de serem vistos em seu temperamento antes do acidente. Por décadas a fio, os neurologistas e psicólogos se perguntaram o que teria feito Phineas mudar tanto, sem estabelecer relação direta entre a parte de seu cérebro atingida pela barra metálica e seu temperamento. Recentemente, uma neurologista portuguesa, Hanna Damásio, revendo as fotos do cérebro de Phineas guardadas no Museu de Anatomia e Medicina da Universidade de Harvard, nos Estados Unidos, aliada a

novos e avançados computadores, promoveu uma verdadeira "autópsia digital" nessas fotos, e descobriu que a barra atravessou e provavelmente arrancou uma pequena parte da massa encefálica localizada exatamente no ponto onde ficam as inteligências emocionais. Nessa parte do cérebro, existem dois setores diferenciados, ligados entre si, de conexões de neurônios: um setor "guarda" a inteligência espacial, o outro, o ponto onde se processam as emoções. Com essa perda, Phineas deixou de ser a pessoa que era, suas emoções foram violentamente afetadas não pela recordação do acidente, mas por perder uma pequenina parte de seu corpo, responsável por seu sentimento de afeto, estima, respeito, ética e assim por diante. Seu caso, analisado ao lado de outros casos de prisioneiros – pessoas violentas, estupradores ou responsáveis por muitos assassinatos –, mostrava anomalias semelhantes.

Ao que tudo indica, as inteligências pessoais surgem muito cedo, quem sabe até mesmo na vida pré-natal. A ligação entre o bebê e a pessoa que cuida dele vai muito além de uma dependência física. Durante os primeiros meses de vida, a criança desenvolve forte ligação com sua mãe, igualada também pela forte atração da mãe pelo filho. À medida que a criança vai crescendo, novas pessoas são incorporadas a essa relação e a intensidade do afeto recíproco se afrouxa, ainda que o amor seja intenso. Da mesma maneira que outras inteligências e seus signos, as inteligências emocionais expressam sinais significativos para todas as culturas. Riso, bem-estar, desconforto e choro são símbolos universais e, aos dois meses de idade, o bebê já é capaz de discriminar expressões faciais de afeto ou rejeição. O fato de mostrar empatia em relação ao choro de um outro bebê, mesmo sem saber *o que* e *como* o outro está se sentindo, mostra que as emoções ligadas ao altruísmo e à proteção já estão em processo de formação. Durante o período que vai dos 2 aos 5 anos, a criança passa por verdadeira "revolução intelectual" e seus gestos e suas palavras já se colocam a serviço da autoidentificação e da expressão de algumas de suas emoções. Ao final desse período, toda criança já pode extrair significados de diferentes símbolos emocionais. Para Piaget, essa é uma fase altamente egocêntrica, em que a criança se tranca na sua própria concepção pessoal de mundo, tendo muita dificuldade em colocar-se "no lugar de outra pessoa". Essas características explicam, mais uma vez, a importância da educação infantil e da sociabilidade promovida por muitas crianças no desenvolvimento pessoal de cada uma. Estudos dos russos Lev Vygotsky e Alexander Luria mostram situações de autodescoberta expressiva com base no relacionamento entre crianças. Em outras palavras, a descoberta do "eu" tem início com a descoberta do "outro". Essa diferenciação se consolida claramente por volta do início da escolaridade e se acentua dos 5 aos 12 anos. As amizades tornam-se profundamente mais envolventes e a exclusão e/ou a perda de amigos passam a ser uma dolorosa experiência. Nessa fase, estrutura-se o conceito de "felicidade" ou "infelicidade" e o ser humano descobre que é tristemente possível "ter tudo" (materialmente) e "não ter nada" (socialmente).

Com o início da adolescência ocorrem mudanças expressivas nas formas pessoais de conhecimento e os jovens mostram sensibilidade mais aguda a motivações para o estímulo dessas inteligências do que os indivíduos mais velhos. O adolescente busca amigos que o valorizem e sente que regras ou leis sociais são ferramentas indispensáveis ao mundo comunitário. O senso de justiça e de igualdade de direitos, ainda que o privando do egocentrismo, torna-se dominante. Ao contrário do que se pode dizer de outras inteligências, com a intrapessoal, caberiam descrições progressivas. Seu aspecto muda com a pessoa madura e, mais ainda, na chamada terceira idade. Trabalhos que temos feito com essa faixa etária revelam o enorme entusiasmo emocional, após os 50 anos, algo como se uma janela semifechada se escancarasse novamente percebendo suas limitações, ainda que não comprovando a potencialidade de superação dos limites.

O *estímulo* a essas inteligências altera-se na família e na escola muito mais do que em outras competências. A presença "inteira" do pai e da mãe em uma relação com o filho vale mais do que uma presença de muitas horas. É inquestionável que a intensidade dos momentos juntos deve prevalecer sobre o tempo para esses momentos. A criança quer ser descoberta em cada instante, e partilhar essa descoberta, sem mimos elogiosos e predatórios, é imprescindível. É evidente que os limites sociais precisam ser claros e cumpridos com igualdade e, nesse aspecto, ou se educa pelo exemplo ou jamais se educa. John Gottman e Joan De Claire mostram interessantes linhas de ação em seu belo livro *Inteligência emocional e a arte de educar nossos filhos*, publicado no Brasil em 1997 pela Editora Objetiva. São expressivos os "casos" que relatam, e, de maneira geral, parece ser unânime a ideia de seus "cinco passos fundamentais da preparação emocional".

Ao mostrar o papel dos pais no estímulo do emocional, sugerem: 1) que percebam as emoções da criança e a ajudem a identificá-las; 2) que reconheçam a emoção como uma oportunidade melhor de descoberta e transmissão de experiências; 3) que legitimem os sentimentos da criança com empatia; 4) que ajudem os filhos a nomear e verbalizar seus estados emocionais; e 5) que mostrem os limites e proponham caminhos para que a criança, por seus próprios meios, resolva seus problemas emocionais.

Em sala de aula, o trabalho com a alfabetização emocional não é muito complicado, mas sua descrição é minuciosa. Em nosso livro *Alfabetização emocional*, mostramos algumas estratégias de sensibilização e a linha construtivista de perceber o próprio papel na construção de reflexões emocionais.

Estudos recentes comprovam que não apenas os seres humanos possuem as inteligências pessoais. Existem atualmente, em laboratórios norte-americanos, cerca de 1.600 chimpanzés sendo estudados por biólogos, mas principalmente linguistas e psicólogos. Os frutos desses trabalhos ainda não foram amplamente divulgados, mas já se conhece uma conclusão unânime: os macacos são muito mais parecidos com os humanos do que se imaginava até então, e os pongídeos vivem em sociedades organizadas em que as relações emocionais e mecânicas entre os indivíduos são muito semelhantes às praticadas pelos humanos. Diferentemente de animais mais primitivos, aos quais se atribuem apenas emoções primárias como medo e fome, os macacos pongídeos (gorilas, orangotangos, chimpanzés e bonobos) parecem ter sentimentos altamente complexos, como compaixão e solidariedade, e, em um caso específico de educação, o da macaca Washoe, notou-se que ela podia manifestar suas emoções com a linguagem dos surdos-mudos aprendida com os humanos, e ensinou ao filhote essa linguagem.

16
É POSSÍVEL AMPLIAR NOSSA INTELIGÊNCIA INTERPESSOAL?

Imagine que você tem 4 anos de idade e alguém lhe faz a seguinte proposta: se esperar a pessoa voltar de uma determinada tarefa, você ganha dois marshmallows *de presente, se não conseguir esperar, ganha só um, mas já. É um desafio certo para testar a alma de qualquer menino de 4 anos, uma eterna batalha entre o impulso e a contenção, o* id *e o* ego, *o desejo e o autocontrole, a satisfação e o adiamento. Que escolha a criança fará é um teste revelador; oferece uma rápida leitura não apenas do caráter, mas da trajetória que ela provavelmente seguirá pela vida afora.*

A experiência acima foi relatada por Daniel Goleman em seu famoso livro *Inteligência emocional* e reproduzida por nós em diferentes situações com crianças de 4 anos, substituindo o *marshmallow* por prosaicos pirulitos.

Tal como Goleman sugere, acompanhamos as crianças por dois anos, e também aqui no Brasil ficou claro que as formas como as crianças lidam com seus impulsos mostram que aqueles que, afoitamente, agarraram seus pirulitos iam se desenvolvendo em uma linha de ansiedade crescente e os que puderam resistir à tentação aos 4 anos, aos 6 eram socialmente mais estáveis. O estudo de Walter Mischel, relatado por Goleman, acompanhou essas crianças até a adolescência; em nosso caso, o acompanhamento foi bem mais curto e, por meio da alfabetização emocional, buscamos trabalhar alguns componentes dessa ansiedade. Os resultados mostraram-se extremamente positivos, o tempo dirá se duradouros.

De qualquer forma, o teste do *marshmallow* é uma das maneiras de perceber que, desde muito cedo, nossa inteligência intrapessoal e, principalmente, nossa inteligência interpessoal apresentam diferentes formas de manifestação e que um trabalho educacional cuidadoso e lento pode minimizar seus efeitos negativos.

A inteligência interpessoal baseia-se na capacidade nuclear de perceber distinções nos outros; particularmente, contrastes em seus estados de ânimo, suas motivações, suas intenções e seu temperamento. As pessoas que se preocupam bastante com sua aparência, com a maneira de combinar as peças de sua roupa, com seu desempenho social mesmo entre pessoas próximas, e com a intensidade com que são positivamente lembradas pelos outros revelam essa forma de inteligência "em alta" e, naturalmente, opõem-se a outras que jamais se interessam por si mesmas e pela impressão que causam nos outros. Em níveis mais profundos, essa inteligência permite que adultos e adolescentes identifiquem intenções, simulações e desejos em outras pessoas, mesmo que elas não os tornem muito explícitos. Essa competência é patente em líderes religiosos, em políticos carismáticos, em professores, em certos tipos de escritores e em alguns pais que deixam nos filhos marcas profundas, que ultrapassam seu tempo entre eles. Certamente, Anne Sullivan e sua capacidade de entender Helen Keller e, indiscutivelmente, Gandhi, ao sentir sua gente tanto na África do Sul quanto na Índia, são expressões evidentes da inteligência interpessoal, como foi Ayrton Senna para seus inúmeros admiradores em todo mundo.

Segundo se acredita, a "morada" dessa forma de inteligência, sempre associada à intrapessoal, são os lobos frontais, e traumas nessa área podem acentuar mudanças atitudinais e reversões da personalidade, sem que se alterem outras formas de inteligência. O mal de Alzheimer, ao atacar zonas cerebrais posteriores, altera de forma quase irreversível a capacidade espacial, lógico-matemática e linguística, mas deixa seus pacientes extremamente sensíveis ao "incômodo" que essas perturbações atingem as pessoas ao seu redor, sobretudo as que mais estimam. Em direção oposta, o mal de Pick, demência pré-senil que atinge os lobos frontais, causa acentuada mudança de atitude social e perda do interesse pelas relações de estima.

A *estimulação* da inteligência interpessoal não é muito difícil, ainda que seus resultados sejam extremamente lentos e seus métodos necessitem do emprego de fundamentos adequados. Ao que tudo indica, esses métodos integram em verdadeira multidisciplinaridade alguns fundamentos da educação, da psicologia, da neurolinguística e da psicopedagogia, e devem estabelecer diferenças claras e nítidas entre seu enfoque "pedagógico", a ser empregado com todos os alunos, da educação infantil à terceira idade, e um enfoque "clínico", voltado para casos específicos e que necessitam de ajuda psicológica e, algumas vezes, de tratamento neurológico e psiquiátrico.

O poder de ação da escola nesse campo é extremamente expressivo, mas acentua-se quando, a um projeto de alfabetização emocional, agrega-se um treinamento para os pais e o compromisso de envolvimento recíproco. Atividades de sensibilização como, por exemplo, "Opção de Valores", "*Personality*", "Painel de Fotos" ou "Autógrafos" constituem estratégias bastante produtivas, sobretudo quando aqueles que as aplicam destacam a abertura que as atividades propiciam para que o estudante possa externar suas impressões e, coletivamente, construir uma hierarquia de valores pessoais. Ao contrário, essas mesmas atividades se tornam inúteis quando se transformam em pretextos para que professores traduzam "suas" impressões sobre as descargas emocionais e os princípios de seu controle.

Daniel Goleman deixa claro em suas obras o sentido "moralista" de treinamentos dessa natureza, Gardner prefere acreditar que esse treinamento eleva o potencial de compreensão que vamos ter do outro, ainda que essa compreensão possa, indistintamente, ser utilizada para o "bem" ou para o "mal". Exemplificando, uma pessoa que vier a desenvolver acentuadamente sua inteligência interpessoal e, mais tarde, transformar-se em político influente ou comunicador proeminente poderá usar essa capacidade de compreender pessoas para levá-las a ações que engrandeçam seu tempo e as relações comunitárias, assim como poderá levá-las a uma sedução voltada especificamente para seus interesses pessoais. No primeiro caso, a inteligência interpessoal transformou-o em educador das massas; no segundo, em brilhante manipulador.

17
COMO FUNCIONAM A MEMÓRIA E A CAPACIDADE DE CONCENTRAÇÃO?

A concepção de uma "inteligência geral" e, portanto, única foi literalmente desmontada com os estudos de Gardner e, de uma certa forma, essa substituição de paradigma influiu poderosamente na ideia que se tinha da memória, da capacidade de concentração e de seu funcionamento. Dessa maneira, torna-se evidente que, assim como não existe uma inteligência geral e sim múltiplas inteligências, o cérebro humano também não abriga uma memória geral e sim formas de memorização e competências de concentração subordinadas a cada uma das inteligências.

A aceitação dessa ideia é até mais fácil do que a das inteligências múltiplas.

Cada pessoa que alega ter "boa memória", caso se observe com atenção, perceberá que essa "boa memória" é facilmente situada em áreas ligadas a suas múltiplas inteligências.

Existem pessoas que decoram textos enormes com facilidade e enfrentam imensos obstáculos para guardar datas ou números de telefone; outras, ao contrário, exibem notável memória numérica, mas sentem dificuldade para guardar lembranças visuais ou olfativas. Experiências que realizamos com alunos de 7 a 10 anos, apresentando *aromas* em determinada sequência e, depois, uma série de *imagens visuais* em *slides*, mostraram que, para alguns, era fácil, um ano depois, recordar a sequência olfativa, mas não a visual; identificamos também alguns outros, que mostraram competências extremamente opostas e um grupo expressivo que não revelava diferenças acentuadas entre essas duas formas de memorização. O mesmo pode ser observado quanto à capacidade de concentração. Pessoas atentas aos mínimos detalhes de uma obra de arte podem se dispersar em meio à leitura de uma página e contabilistas desatentos às informações do rádio podem abarcar quadros numéricos extensos de balanços intermináveis.

É evidente que as dificuldades de memória ou de poder de concentração tidas como "normais" têm limites claramente definidos. Frequentes esquecimentos, estados de permanente desatenção, queda vertical no rendimento escolar ou no trabalho, muitas vezes, são sinais de distúrbios que se situam além desses limites e que podem ser tributados a duas causas: estresse ou um problema neurológico conhecido como distúrbio de *deficit* de atenção (DDA). Estima-se que de 5 a 8% das crianças em idade escolar apresentam esse problema, muito difícil de ser detectado por exames neurológicos comuns, mas que ganha novas perspectivas com o Tavis-2, um sistema de testes computadorizados. Pouco se conhece sobre a origem desse distúrbio, suspeita-se que tenha raízes na carga genética da criança, mas que também se agreguem a essas origens traumatismos cranianos. A inércia de uma freada a mais de 100 quilômetros por hora, por exemplo, pode causar um traumatismo de difícil reversão, apenas pelo impacto da movimentação do cérebro dentro da caixa craniana. Traumas desse tipo não alteram as funções motoras e a capacidade linguística, assim, seus efeitos neurológicos dificilmente são percebidos.

Gardner enfatiza com clareza que não aceita a ideia de que a memória e o poder de concentração "atravessam" diferentes tipos de inteligência e operam de maneira cega em relação ao conteúdo. Mostra evidências neuropsicológicas da independência entre memória linguística e memória espacial, entre a memória corporal e a memória musical, e entre formas diferenciadas de poder de concentração. Nem todos os que decoram poesias com facilidade e as retêm por muitos anos em suas mentes são capazes de decorar os caminhos para chegar a uma certa praça, assim como se lembrar de fisionomias e expressões parece habilidade independente da capacidade de lembrar-se de ritmos ou letras musicais antigas. Parece claro que quem possui elevada inteligência verbal tem "boa memória" linguística e que diferentes posições no espectro das múltiplas inteligências implicam também igual espectro nas múltiplas memórias.

Cientistas norte-americanos revelaram, no início de 1998, terem encontrado a "chave" química responsável pela capacidade cerebral de armazenamento de informações de longo prazo para diferentes tipos de memória, e estão trabalhando no desenvolvimento de uma droga para controlar as memórias. Esse remédio, caso concluída a descoberta, poderia mudar as condições de vida dos portadores do mal de Alzheimer e, quem sabe, ajudar no tratamento de crianças com dificuldades de aprendizagem. A substância ora em estudo, conhecida como CREB (*Cyclic Response Element Binding Protein*), estimula a transferência de informações entre as memórias de curto e de largo prazo. Parece importante, entretanto, dar a essas descobertas, no campo específico da aprendizagem, um valor não exagerado.

Estudos desenvolvidos por Ebbinghaus, ainda na segunda metade do século XIX, enfatizavam acentuadas diferenças entre "memorizar" e "aprender". Ebbinghaus reuniu um conjunto de sílabas sem qualquer sentido como, por exemplo, bap, jat, tul, pel e outras. Usando esse material, comprovou que o esforço e o tempo gastos na memorização de uma sílaba dependem do tamanho da lista de sílabas e que o método usado na memorização influi em sua retenção. Assim, se o que se aprende não é ligado a algo que se conhece, essa aprendizagem permanecerá no cérebro apenas por algum tempo, que será tanto menor quanto menos essa relação for repetida. Estudos posteriores, desenvolvidos com base em trabalhos de Thorndike, mostraram que a memorização pode se transformar em aprendizagem pela lei do efeito. O sujeito motivado tentaria, por ensaio e erro, diversas respostas para alcançar alguma coisa, e a resposta que viesse a satisfazê-lo seria fortalecida pelo efeito do estado satisfatório, fixando-se à situação em que foi produzida em detrimento das outras respostas que não levaram a um efeito convincente. Essa recompensa, cada vez que a situação se repetir, reforçará a conexão com a resposta conciliadora e, portanto, sua retenção. Imagine, por exemplo, um iniciante na aprendizagem da computação tentando limpar sua impressora de centenas de folhas após uma operação malsucedida. Certamente, ele fará diversas tentativas e apertará inúmeras teclas inúteis para a operação pretendida. Se acertar por acaso, desenvolverá uma conexão que, se oportunamente repetida, levá-lo-á a aprender o caminho correto para essa operação.

Há décadas, já não se aceita que a memorização mecânica signifique aprendizagem. O conhecimento se dá na relação sujeito-objeto-realidade, com a intermediação do professor e pela ação do educando sobre o objeto do estudo. Assim, aprender representa substituir a mistura confusa e a dissociação pela essência das relações. É evidente que a perspectiva construtivista de aprendizagem enfatiza que a memorização mecânica é um recurso primitivo de demonstração de um falso saber. Atualmente, destaca-se que, ao construir um conceito, a pessoa não o memoriza, apenas transforma esse conceito em instrumento de ação para elaborar conexões mais elevadas e, dessa forma, resolver problemas. Assim, o estímulo à memorização é útil para que se possa reter esses mecanismos operacionais e não para que se guarde informações que o tempo encarrega de tornar inúteis. Em outras palavras, é importante que se conheçam algumas estratégias para estimular as diferentes memórias, mas que esse uso seja parcela não muito significativa do domínio dos saberes e não a expressão absoluta do conhecimento.

Em nosso livro *A grande jogada*, destacamos essa visão e relatamos alguns fundamentos da ativação das memórias linguística, espacial e lógico-matemática. Entre outros fundamentos, destacamos o papel limitado da memória na construção de uma aprendizagem significativa e citamos algumas regras para o estímulo dessas memórias apenas como meio detonador de uma aprendizagem significativa. Em síntese, essas regras seriam: 1) motivar, fazer sentir a necessidade do "querer", não fragmentar o texto e apenas repetir mecanicamente suas partes; 2) criar imagens mentais que associem as ideias a serem memorizadas a conhecimentos anteriores, pois o novo conhecimento se constrói com base no anterior, seja para ampliá-lo, negá-lo ou superá-lo; 3) fazer associações aparentemente grotescas que envolvam as ideias-chave do conteúdo, uma vez que o conhecimento é estabelecido no sujeito por sua ação sobre o objeto e essa ação será tanto mais efetiva quanto mais perceptiva for e quanto mais eficientemente se produzir o movimento empírico = abstrato = concreto; 4) associar aos conceitos imagens gráficas e pictóricas, rabiscar com formas e fontes diferentes o objeto a ser memorizado, decompondo o todo em suas partes constituintes; e 5) treinar com frequência a elasticidade de suas diferentes memórias e imaginar que a mesma ação repetitiva que um exercício físico exerce para melhorar seu desempenho também ocorre com exercícios estimuladores de diferentes memórias.

Em síntese, a identificação de múltiplas memórias permite a aceitação de que não podemos ser ótimos em todas, mas podemos melhorar nosso desempenho em cada uma delas e, mais ainda, que, tão importante quanto memorizar alguns dados, é também aprender a esquecê-los quando necessário.

O grande desafio de uma educação consciente consiste em selecionar o que deve ser lembrado, mas também o que deve ser esquecido. Uma memória colossal pode ser um fardo terrível para o ser humano.

18
QUAL A RELAÇÃO ENTRE A INTELIGÊNCIA E A APRENDIZAGEM?

Por muito tempo, acreditou-se que todo processo de ensino se fixava na figura do professor. Essa visão fez com que o ensino ganhasse autonomia sobre a aprendizagem e alguns "métodos" de ensino passassem a ser usados indistintamente, como se sua eficiência garantisse a aprendizagem de todos. Essa concepção, atualmente, está inteiramente superada.

Hoje, a visão é contrária: percebe-se a importância da associação da eficiência do ensino com a compreensão de como se processa a aprendizagem, e descobre-se que, sem a aprendizagem, o ensino não se consuma. Essa posição ressalta o valor da perspectiva construtivista da aprendizagem e redefine o papel do professor, não mais um informador que, detendo o conhecimento, transmite-o aos alunos, mas um efetivo colaborador desse aluno, que leva este último a tomar consciência das necessidades postas pelo social na construção de seus conhecimentos com base no que já conhece. Em síntese, o papel do novo professor é o de usar a perspectiva de como se dá a aprendizagem, para que, usando a ferramenta dos conteúdos postos pelo ambiente e pelo meio social, estimule as diferentes inteligências de seus alunos e os leve a se tornarem aptos a resolver problemas ou, quem sabe, criar "produtos" válidos para seu tempo e sua cultura.

Essa redefinição do papel do educador traduz uma certeza e desperta uma angústia. A certeza é de que sua função social, muito mais do que antes, é primordial para a humanidade e que sua missão se identifica com a garantia da construção de um homem melhor e, portanto, de um mundo mais digno. A angústia é indagar se, não tendo todas as suas inteligências devidamente estimuladas, ele será capaz de se transformar em um estimulador de múltiplas inteligências. Essa angústia parece não ser estruturalmente diferente da vivida por Sócrates há 25 séculos, quando lembrava que a "pedra de afiar não cortava", talvez sugerindo que a limitação do exercício de determinadas habilidades não impede que o professor possa se transformar em um estimulador dessas mesmas habilidades.

Particularmente, sentimos que, quando o professor acredita nas múltiplas inteligências e em sua habilidade em motivá-las, ele se descobre um extraordinário estimulador de habilidades em seus alunos. Não faz muito tempo, uma professora comentava o surpreendente progresso na sensibilidade tátil de seus alunos, lembrando que eles tinham caminhado muito além de suas próprias limitações. Evidentemente, o mesmo comentário poderia abrigar diferentes habilidades, específicas das conexões entre as múltiplas inteligências. É evidente que o professor não pode confiar cegamente em sua intuição, é mais do que essencial que estude e que aprenda, que pratique e que divulgue seus experimentos, que tenha um espírito analítico para acompanhá-los e para anotar a progressão de seus resultados e que, principalmente, saiba que as modificações no estímulo das inteligências múltiplas só é viável com a inclusão de um *programa para sua estimulação*, que não dará resultado com experimentos isolados e meramente circunstanciais. O nascer de um professor com um novo perfil associa-se à aceitação de um paradigma de humildade: é essencial que ele se descubra uma pessoa que, por não contar com múltiplos estímulos em sua educação, tem dificuldade para aceitá-los como essenciais, mas que a superação dessa dificuldade o projeta como responsável por uma missão nobre e imprescindível.

19
O QUE SIGNIFICA "CONSTRUTIVISMO"?

Consideremos duas situações, uma efetivamente acontecida em São Paulo, outra fácil de ser imaginada em múltiplas oportunidades.

A primeira situação foi extraída de uma notícia policial. Em determinada circunstância, um advogado "ensinou" a seu cliente, um policial acusado de agressão, que palavras deveriam ser usadas em sua defesa diante da juíza: "Diga", dizia o advogado, "que, ao pedir à vítima que se retirasse do veículo, ela saiu *proferindo* palavras de baixo *calão*".

Qual não foi a surpresa de todos ao ouvir o depoente alegar que: "Ao pedir à vítima que se retirasse do veículo, a mesma saiu *preferindo* palavras de baixo *escalão*." É evidente que houve um erro e uma troca de palavras, mas cabe analisar por que ocorreram. Ao "ensinar" seu cliente, o advogado usou palavras que faziam sentido para seu universo vocabular, mas não para o do policial. Preocupado em "aprender" a lição, o cérebro desse cliente *se apropriou de palavras que já conhecia* e, dessa maneira, substituiu o estranho *proferindo* pelo habitual e comum *preferindo* e a desconhecida palavra *calão* (linguagem baixa, gíria de delinquentes) pelo conhecido termo militar *escalão* (nível ou categoria hierárquica entre os militares).

A segunda situação é bastante simples. Imagine-se com a tarefa de "ensinar" a uma pessoa como chegar a um endereço valendo-se apenas de mensagens verbais. Procure relacionar que palavras usaria para fazê-la descobrir o trajeto até sua casa ou sua escola. A tarefa parece fácil.

Tente uma segunda vez. Procure ensinar a essa pessoa o trajeto até sua casa, *mas não se utilize de qualquer conhecimento que essa pessoa possua*. Observe que o fácil ficou complicado, pois é extremamente natural que a construção do conhecimento do roteiro deva sempre se iniciar de um ponto conhecido, ainda que teoricamente. Observe que sua explicação parte sempre do concreto (um local conhecido) para o abstrato (o local aonde a pessoa deve chegar).

Essas duas situações simples mostram como aplicamos o construtivismo diariamente sem nos darmos conta de que representam uma importante perspectiva de aprendizagem e de estímulos de inteligências. Percebe-se, dessa maneira, que o construtivismo não é um método de ensino e também não é uma técnica pedagógica, mas um paradigma aberto para ajudar o sujeito a construir experiências que possam ajudá-lo a resolver problemas. Na primeira situação, o policial "aprendeu" com facilidade a frase que tinha um significado e descartou a que não lhe dizia coisa alguma, e assim se mostrou como o centro de seu próprio caminho em direção à aprendizagem. Na segunda situação, percebe-se que a construção do saber se dá pela transformação do que anteriormente se conhece; se nada se conhece, nada existe para ser transformado e, portanto, o foco do saber se cristaliza no ponto de partida do local conhecido para o endereço a aprender.

Diferentemente de uma posição inatista, que acreditava que se aprendia quando se acumulavam informações, mais ou menos como se o cérebro fosse um balde vazio a ser enchido pelas explicações do professor, a perspectiva construtivista sugere que o sujeito é sempre o centro da produção da aprendizagem, que ele a constrói por meio de múltiplas interações. É por esse motivo que, quase inconscientemente, lançamos mão de metáforas para, ao tentar apresentar um novo conhecimento, estruturar sua relação com o conhecimento antigo. Ao dizer, por exemplo, "a terra é uma bola", a origem do homem é vista como que através dos galhos de uma árvore, o universo é um mecanismo complexo e estamos usando a metáfora do conhecido (bola, árvore, mecanismo) para construir o novo conceito. Dessa maneira, a metáfora é a linha de integração entre pensamentos, é uma transação e uma cooperação entre ideias e contextos. A análise da própria etimologia já destaca essa função do uso de metáforas como transporte de relações significativas entre um contexto antigo e um novo: *meta*, além de, mais *phora*, transporte.

Considerando os elementos estruturais do construtivismo, percebe-se o valor imprescindível do uso de jogos como recurso pedagógico, pois o "faz de conta" inerente aos jogos contribui para a compreensão dos novos conteúdos que se pretende desenvolver.

Essa construção se manifesta em três momentos significativos: a síncrese (visão caótica do todo), a análise (abstrações que ordenam o caos) e a síntese (totalização das relações). No caso do julgamento do policial, a síncrese manifestou-se no quadro caótico das palavras desconhecidas e que precisavam ser ditas, a análise, na apropriação por parte do cérebro de palavras próximas, mas que faziam sentido para o sujeito, e a síntese na expressão que culminou com a formação de seu conhecimento e que foi dita à juíza; na segunda situação, a visão caótica de nomes de ruas e trajetos a seguir (síncrese) é ordenada quando se apresenta o ponto de referência (análise) e se determina a apreensão da construção do roteiro a seguir (síntese).

É, pois, nesse contexto que deve ser colocada a aprendizagem, desde a alfabetização até o ensino universitário. Já dizia Paulo Freire que é impossível conceber a alfabetização como a leitura da palavra sem admitir que ela é, necessariamente, precedida de uma leitura da vida, do mundo ao redor. Em geral, a escola, e não somente a escola brasileira, sempre pareceu desejar apagar do cérebro e do corpo da criança uma outra linguagem que é a *sua* maneira de perceber a vida, o tempo e o mundo que a cercam. Esse desapego pelos conteúdos existenciais inerentes à criança apresenta custos altos e, muitas vezes, irreversíveis, pois significa desprezar a astúcia, a criatividade espacial, a inventividade e os signos desenvolvidos pela infância para se defender de um mundo adulto que, muitas vezes sem perceber, tudo faz para oprimi-la.

O caminho para perceber por que o construtivismo é alardeado como a mais coerente perspectiva para o estímulo das inteligências, o tema mais descrito em cursos para professores e a estrela da ocasião nas capas de inúmeros livros didáticos e, no entanto, não é plenamente compreendido por todos os professores talvez esteja na própria concepção metafísica dessa perspectiva.

Dessa maneira, o inatismo acredita existir um conhecimento confiável a respeito do mundo – o mundo é real e estruturado e essa realidade pode ser aprendida por todos – e imagina que o papel do professor seja o de transmitir esse conhecimento, ao passo que, para a visão construtivista, o mundo e a realidade estão mais na mente das pessoas, que os interpretam segundo suas informações, ideologias, crenças e experiências. O papel do professor é trabalhar essas informações e essa realidade para construir novas imagens. No processo de interação entre o aluno e o objeto a ser conhecido (conteúdos), são construídas representações que se orientam por uma lógica interna, que, por mais que possa parecer incoerente para a lógica dos outros (veja o caso do policial), faz sentido para o sujeito que dessa lógica se apropriou. Para o inatismo, a ausência de erros na tarefa escolar é a manifestação da aprendizagem, ao passo que, para a visão construtivista, o erro é inerente à passagem da síncrese à síntese pela intermediação da análise. É evidente que, se o professor crê que o mundo é real e estruturado, sua tarefa se descortina em corrigir a visão que o aluno possa apresentar, mas, se percebe que não existe entidade objetiva nem realidade única, descobre-se com a missão de ajudar o aluno a construir conexões entre o que conhece e as novas experiências que possam ajudá-lo a resolver problemas. O professor transforma-se em uma "ponte" que liga os significados socioculturais refletidos no cotidiano das disciplinas e as atividades mentais construtivas presentes na história pessoal dos alunos.

Nesse papel, o professor deixa de lado a responsabilidade de ser um "ensinador de coisas" para se transformar em algo como um "fisioterapeuta mental", animador da aprendizagem, estimulador de inteligências que emprega e faz o aluno empregar múltiplas habilidades operatórias (conhecer, compreender, analisar, deduzir, criticar, sintetizar, classificar, comparar e muitas outras).

Tanto por palavras quanto por sua ação pedagógica, o professor deve levar o aluno a descobrir que o erro não é uma falta grave, uma limitação ou incapacidade, mas um momento legítimo inerente a toda aprendizagem. O erro, em sala de aula ou na execução de uma tarefa escolar equivale, mais ou menos, ao ato de, ao procurarmos alguma coisa, olharmos primeiro à direita, em busca do objeto que, na verdade, estava colocado à esquerda.

A prática construtivista no estímulo das múltiplas inteligências, portanto, requer que a escola se transforme em um espaço de formação e de informações em que a aprendizagem de conteúdos, a formação de conceitos, o desenvolvimento de habilidades e a avaliação das tarefas relevantes possam favorecer a interação do aluno na sociedade em que vive e onde necessita aprender a conviver.

Em síntese, a ação construtivista de um professor aproxima seu trabalho do de um poeta. As ideias de Nilson Machado (1996) mostram essa aproximação:

> A sensibilidade e a competência do professor em estabelecer tais pontes, levando em consideração a rede de significados preexistente no universo, aproxima seu trabalho efetivamente de uma dimensão poética, que sobrepuja os aspectos meramente técnicos de seu fazer; se uma imagem vale mais do que mil palavras, justamente porque pode promover articulações que somente muitas palavras podem lograr, uma proporção analógica, como um poema em ponto pequeno, pode articular inúmeras imagens, inspirando conexões muitas vezes inesperadas.

20
A EDUCAÇÃO DAS INTELIGÊNCIAS

Vamos fazer duas suposições. A primeira é que as inteligências humanas deixassem de prosperar e que cada indivíduo, ao nascer, traria definida na carga genética todo o potencial de suas inteligências e, com esse potencial, construiria o mundo de seus sucessos e de suas relações.

A segunda é que o desenvolvimento das inteligências fosse possível, mas isso implicasse o uso de drogas estimulantes especiais ou o uso de produtos de elevado custo, responsáveis por colossais investimentos governamentais.

Qualquer uma das duas suposições seria interessante para um escritor que tratasse temas de ficção científica que envolvessem uma imensa classe de oprimidos e uma outra de opressores privilegiados. Na primeira suposição, o destino traçado ao nascer privilegiaria os inteligentes e, como essa condição seria imutável, seriam eles os verdadeiros donos da humanidade. Haveria uma casta poderosa de privilegiados a escravizar uma outra de criaturas limitadas, feitas apenas para a servidão. Na segunda suposição, a tirania ficaria em mãos dos países ricos, únicos aptos a investir pesadamente em meios estimuladores da inteligência e, mesmo entre esses países, a distância entre os poderosos e os excluídos caminharia para inevitável escravidão.

A identificação das inteligências múltiplas constitui uma ideia redentora; não apenas por seu conteúdo acadêmico, não somente para as inúmeras aberturas que traz à neurocirurgia, mas principalmente porque, enfaticamente, nega as duas suposições apresentadas.

Ao mostrar que a inteligência é estimulável, desde que se usem esquemas de aprendizagem eficientes e que limitações genéticas possam ser superadas (a história das pernas tortas de Garrincha é eficiente exemplo) por formas diversificadas de educação e, sobretudo, ao destacar que os meios para essa estimulação não dependem de drogas específicas e, menos ainda, de sistemas escolares privilegiados, essa identificação pode fazer de qualquer criança uma pessoa integral e de qualquer escola um centro notável de múltiplas estimulações. Reiteramos o surpreendente descaso com que a maior parte das escolas "atira no lixo" tudo quanto constitui a experiência existencial com que a criança chega para seu primeiro dia de aula. Essa criança, sobretudo a proveniente de meios pouco favorecidos, entra na escola com acentuada inteligência espacial, imensa abertura verbal, curiosa percepção lógico-matemática, aguda vivência naturalista e curiosidade pictórica infinita, e descobre que tudo isso nada vale dentro da sala de aula, onde apenas o saber do professor precisa ser aceito. A sorte dessa criança é que existem, algumas vezes, horas de recreio não muito monitoradas, durante as quais pode praticar, na vivência interpessoal, a bagagem de suas inteligências reprimidas.

Para mudar esse quadro, basta apenas querer. Querer não no sentido romântico de fazer do desejo um sonho e divagar sem um programa lógico, mas no sentido operacional de arregaçar as mangas, buscar ferramentas para transformar o sonho em realidade e o conceito em ação. Essas ferramentas, em linhas gerais, poderiam ser ordenadas em cinco níveis.

Meios ou veículos

Embora os estímulos de diversas etapas das inteligências não precisem de recursos específicos, a não ser de uma descrição verbal simples ou de um diagrama rabiscado na lousa, as maneiras formais de estimulação das inteligências incluem desde sistemas simbólicos articulados, como as disciplinas curriculares, até a diversidade crescente de meios, incluindo manuais, livros didáticos, mapas, revistas e jornais, vídeos, computadores e até "salas ambientes". É imprescindível analisar os meios disponíveis para traçar de forma adequada o programa de estimulação desejado.

Localizações específicas

É importante uma reflexão sobre "o local onde a educação ocorre" e os "momentos em que esse local está sendo utilizado para a educação". É evidente que esse local pode ser a casa, o jardim, a praça, e também escolas, instituições especializadas na promoção da construção do conhecimento. Essa identificação de "local" e "momento" é bem mais importante e objetiva do que, à primeira vista, deixa transparecer. Uma casa pode ser um centro de encontro familiar, pode ser um pouso de reconstituição física para os integrantes de um grupo e, em alguns casos, pode ser até mesmo um espaço de competições estéreis e agressões recíprocas. Assim como é inadmissível afirmar que toda casa é um "lar" ou um centro de comunhão e afeto, é também possível perceber que nem todo espaço pode ser um local para a educação. Transformar a casa e, principalmente, a escola em uma "academia de estimulação das inteligências" exige reflexões e medidas concretas. Lamentavelmente, muitas escolas brasileiras serviriam de cenário perfeito para a crítica de George Bernard Shaw: "Sua educação jamais foi interrompida, salvo quando frequentou as aulas".

Agentes

Praticamente as mesmas observações e reflexões sobre a localização se aplicam a seus agentes. Tradicionalmente, esses agentes são professores, pais, avós, sacerdotes, instrutores, irmãos mais velhos e todos os outros que, de uma certa forma, assumem como sua missão a tarefa de se colocar como estimuladores das inteligências múltiplas.

Menos importante do que o papel formal desses agentes é a reflexão das qualidades que devem buscar construir em si mesmos. Não acreditamos que existam professores "prontos" para desenvolver estímulos das múltiplas inteligências nem damos maior importância ao eventual *talento* para essa missão. Preferimos os professores críticos e reflexivos que analisem alguns elementos básicos essenciais a essa ação estimuladora e se acreditem "pessoas em formação", que desenvolvam sua formação como uma conquista lenta, persistente e progressiva. Quais seriam os elementos básicos dessa formação?

- Mentalidade aberta para aceitar, com humildade, mas entusiasmo e ousadia, sua potencialidade para essa missão.
- Sensibilidade e prazer autêntico em se relacionar com outras pessoas e em se acreditar disposto a ajudar o aluno a se construir.
- Postura investigativa e estudiosa e a certeza de que não existem limites para o aprender. Já reiteramos que o oposto a essa presença aparece no professor prepotente, proprietário irredutível da verdade e crente fiel na propriedade de seus "achismos".
- Elevado senso crítico associado à segurança para aceitar limitações, rever procedimentos e reformular-se com base em novas descobertas.
- Desprendimento intelectual ou ausência de "ciúme" em tornar pública suas descobertas e as estratégias dos bons resultados que colhe em seu trabalho com o aluno.
- Organicidade científica que o leve a anotar criteriosamente seus progressos e manter vivos e atualizados seus "diários de pesquisa" nas atividades desenvolvidas com as classes.
- Serenidade para aceitar as limitações materiais e até de credibilidade do ambiente. Certamente, todos quantos aceitam um novo desafio despertam inquietações e precisam resistir ao desejo genérico de uma identidade com os medíocres.

Programas

Da mesma maneira, como ninguém consegue efetivamente reduzir seu peso ou ganhar estruturas musculares para uma grande competição esportiva sem um *programa* específico, com metas definidas e procedimentos em ordem progressiva na busca dessas metas, a implantação de um projeto de estimulação das inteligências múltiplas necessita de um programa em que sejam definidos objetivos gerais, específicos e imediatos, e em que se relacionem recursos disponíveis, pessoal envolvido, cronogramas, fontes de pesquisa e orientação bibliográfica, estratégias, políticas de interação com os pais e a comunidade, noções temporais e sistêmicas, estratégias e outros pressupostos em direção às metas propugnadas.

Essa visão de estímulos se liga, naturalmente, à ideia de uma educação das inteligências em um ambiente institucional. Em casa, pais, avós e irmãos mais velhos podem assumir o papel de agentes estimuladores se também adotarem a ideia de um programa associado às atividades do cotidiano da criança. Dessa maneira, podem programar recreações estimulantes, solicitando à criança a criação de imagens verbais, desafios lógico-matemáticos intrigantes (como tangram, blocos de montar, labirintos ou mesmo o singelo jogo dos sete erros), programas de aprimoramento progressivo da audição, da concentração, do olfato ou do paladar, jogos cinestésicos com brincadeiras pictóricas e experimentos interpessoais. A primeira grande sala de aula de uma criança deveria ser seu berço ou seu "chiqueirinho" – cercado de ripas onde se coloca a criança –, rico em múltiplos brinquedos desafiadores, como móbiles, jogos de encaixe, instrumentos sonoros, figuras coloridas e outros.

Sistema de avaliação

O estímulo das inteligências múltiplas não deve estar limitado a uma avaliação que toma como referência o valor máximo e que tem como polo nuclear de referência a expressão de resultados em forma de notas ou de conceitos.

Bem mais válida parece ser a adoção de um sistema de avaliação que use como polo de referência o desempenho "ótimo" do aluno e, assim, seja percebido em relação aos progressos que ele apresenta e não aos resultados que alcança. Dessa maneira, boletins que fixam resultados estáticos necessitam ser substituídos por relatórios, gráficos de frequência, depoimentos e outros elementos das conquistas dos alunos. Os melhores resultados obtidos nesse campo indicam claramente que esses boletins devem ser substituídos por "portfólios" pessoais, verdadeiras pastas individuais que contenham ampla e diversificada relação de "produções" do aluno, enfatizando bem mais sua evolução no domínio de habilidades e na capacidade de fazer delas "ferramentas" para a solução de problemas do que a eventual e muitas vezes desnecessária retenção de informações.

Apresentaremos a seguir três grupos de fichas que visam auxiliar esses programas. O primeiro grupo relaciona a *caracterização* das nove inteligências e apresenta sua presumível localização cerebral, sua descrição, sua relação com as demais, exemplos históricos e profissionais da presença acentuada da inteligência, habilidades que facilitam seu estímulo e agentes responsáveis por seu treinamento.

O segundo grupo abre uma ficha para cada uma das inteligências e menciona, de maneira sumária, formas de seu estímulo *na escola*, separando essas sugestões pelas progressivas etapas, da educação infantil ao ensino superior. Essas fichas citam muitos jogos que, eventualmente, podem ser conhecidos por outros nomes e técnicas nem sempre facilmente acessíveis. Na bibliografia que apresentaremos ao final deste trabalho, será possível obter a descrição desses jogos ou dessas estratégias.

O terceiro grupo também mantém uma ficha para cada uma das inteligências e propõe seu estímulo *em casa*, separando diferentes etapas do crescimento, do nascimento até os 8 anos.

Essas fichas, sínteses de experimentos realizados em diferentes oportunidades, devem ser examinadas mais como uma relação de propostas, pronta para abrigar centenas de outras e plenamente vulnerável à crítica, do que como quadro definitivo de um projeto de caracterização e de estimulação.

CARACTERIZAÇÃO

INTELIGÊNCIAS	DESCRIÇÃO	RELAÇÃO C/ OUTRAS	EXEMPLOS PESSOAIS	HABILIDADES	AGENTES
LINGUÍSTICA (Hemisfério esquerdo. Vocabulário: lobo frontal, acima do lobo temporal. Linguagem: lobo temporal)	Capacidade de processar rapidamente mensagens linguísticas, de ordenar palavras e de dar sentido lúcido às mensagens.	Relaciona-se com todas as demais e, particularmente, com a lógico-matemática e a cinestésica corporal.	Shakespeare, Dante Alighieri, Cervantes, Dostoievski, Guimarães Rosa, Clarice Lispector, Cartola, Adoniran Barbosa, Vinicius de Moraes, escritores, radialistas, advogados e, principalmente, poetas.	Descrever Narrar Observar Comparar Relatar Avaliar Concluir Sintetizar	Pais Avós Professores Amigos
LÓGICO-MATEMÁTICA (Lobos frontais e parietais esquerdos)	Facilidade para o cálculo e para a percepção da geometria espacial. Prazer específico em resolver problemas embutidos em palavras cruzadas, charadas ou problemas lógicos como os do tangram, dos jogos de gamão e xadrez.	Inteligência linguística, espacial, cinestésica corporal e, principalmente, inteligência musical.	Euclides, Pitágoras, Newton, Bertrand Russell, Einstein, engenheiros, físicos, arquitetos e mestres de obras.	Enumerar Seriar Deduzir Medir Comparar Concluir Provar	Pais Professores especificamente treinados
ESPACIAL (Hemisfério direito)	Capacidade de perceber formas e objetos mesmo quando apresentados em ângulos não usuais, capacidade de perceber o mundo visual com precisão, de efetuar transformações sobre as percepções, de imaginar movimento ou deslocamento interno entre as partes de uma configuração, de recriar aspectos da experiência visual e de perceber as direções no espaço concreto e abstrato.	Com todas as demais, especialmente a linguística, a musical e a cinestésica corporal.	Ray Bradbury, Isaac Asimov, Karl Marx, Picasso, Darwin, Dalton, Chico Buarque de Holanda, escritores de ficção, exploradores, geógrafos, marinheiros, artistas abstracionistas.	Localizar no espaço Localizar no tempo Comparar Observar Deduzir Relatar Combinar Transferir	Pais Professores Alfabetizadores linguísticos e cartográficos

MUSICAL (Hemisfério direito, lobo frontal)	Facilidade para identificar sons diferentes, perceber nuanças em sua intensidade e direcionalidade. Reconhecer sons naturais e, na música, perceber a distinção entre tom, melodia, ritmo, timbre e frequência. Isolar sons em agrupamentos musicais.	Mais intensamente com a lógico-matemática e com as inteligências pictórica e cinestésica corporal.	Beethoven, Chopin, Brahms, Schubert, Tchaikovski, Carlos Gomes, Villa-Lobos, Tom Jobim, Cartola, Caetano Veloso, Paulinho da Viola, compositores, poetas, naturalistas.	Observar Identificar Relatar Reproduzir Conceituar Combinar	Pais Avós Professores devidamente sensibilizados
CINESTÉSICA CORPORAL (Hemisfério esquerdo)	Capacidade de usar o próprio corpo de maneira diferenciada e hábil para propósitos expressivos. Capacidade de trabalhar com objetos, tanto os que envolvem motricidade específica quanto os que exploram uso integral do corpo.	Principalmente com as inteligências linguística, espacial e pictórica.	Nijinsky, Nureyev, Pelé, Garrincha, Magic Johnson, mímicos, bailarinos, atletas, e também concertistas, cirurgiões e muitos outros.	Comparar Medir Relatar Transferir Demonstrar Interagir Sintetizar Interpretar Classificar	Instrutores de dança e esportes Pais Professores
PICTÓRICA (Hemisfério direito)	Capacidade de expressão por traço, desenho ou caricatura. Sensibilidade para dar movimento e beleza a desenhos e pinturas, autonomia para captar e retransmitir as cores da natureza, movimentar-se com facilidade em diferentes níveis da computação gráfica.	Inteligência linguística, espacial, cinestésica corporal, mas principalmente a inteligência musical.	Giotto, Botticelli, Rafael, Leonardo da Vinci, Michelangelo, Portinari, Tarsila do Amaral, Bill Anderson, cartunistas, pintores, ilustradores, especialistas em computação gráfica.	Observar Refletir Reproduzir Transferir Criticar Concluir	Pais Professores especificamente preparados

NATURALISTA (Hemisfério direito, presumivelmente)	Atração pelo mundo natural e sensibilidade em relação a ele, capacidade de identificação da linguagem natural e capacidade de êxtase diante da paisagem humanizada ou não.	Com todas as demais, especificamente com as inteligências linguística, musical e espacial.	Darwin, Humboldt, La Condamine, Mendel, Ruschi, Noel Nutels, Villas Bôas, Burle Marx, naturalistas, botânicos, geógrafos, paisagistas.	Relatar Demonstrar Selecionar Levantar hipótese Classificar Revisar	Avós Pais Professores
PESSOAIS Interpessoal e intrapessoal (Lobos frontais)	Interpessoal – capacidade de perceber e compreender outras pessoas, descobrir as forças que as motivam e sentir grande empatia pelo outro indistinto. Intrapessoal – capacidade de autoestima, automotivação, de formação de um modelo coerente e verídico de si mesmo e do uso desse modelo para operacionalizar a construção da felicidade pessoal e social.	As inteligências pessoais interagem e relacionam-se com todas as demais, particularmente com a linguística, a naturalista e a cinestésica corporal.	Proust, Gandhi, Freud, Anne Sullivan, Adler, Joana D'Arc, Martin Luther King, Antônio Conselheiro, Padre Cícero, pessoas reconhecidas como "carismáticas", políticos, líderes religiosos, psicoterapeutas e psicólogos, assistentes sociais.	Interagir Perceber Relacionar-se com empatia Apresentar autoestima e autoconhecimento Ser ético	Pais Psicólogos Professores devidamente treinados

INTELIGÊNCIA LINGUÍSTICA – ESTIMULAÇÃO

EDUCAÇÃO INFANTIL	1º CICLO	2º CICLO	3º CICLO	4º CICLO	ENSINO MÉDIO	ENSINO SUPERIOR
Desafio de palavras novas e aumento do vocabulário.	Continuação progressiva das atividades da educação infantil.	Continuação progressiva das atividades do 1º ciclo.	Continuação progressiva das atividades do 2º ciclo.	Continuação progressiva das atividades do 3º ciclo.	Continuação progressiva das atividades do 4º ciclo, sobretudo jogos operatórios e exploração de habilidades.	Análises de casos específicos da área de ensino.
Múltiplas conversações.	Descrição progressiva de imagens físicas.	Concurso de narrativas.	Diálogos interativos.	Jogo do telefone em grupo.		Uso da interdisciplinaridade na interpretação de fatos.
Coleta de impressões e opiniões.	Jogos verbais de palavras.	Estímulo a composições.	Jogo de palavras em grupo.	Jogos operatórios do tipo Autódromo e Hiperarquipélago.	Verbalização da compreensão da cidadania.	Jogos operatórios do tipo Change e Opção.
Estímulo ao canto e às narrativas interativas.	Ensino de uma língua estrangeira, quando possível.	Análises coletivas de letras musicais e poesias infantis.	Diálogo.	Jogos operatórios do tipo Transmissão.	Introdução de discussões abertas sobre os temas transversais.	Diferentes modalidades de *brainstorming*.
	Jogos linguísticos.	Jogos linguísticos.	Análises coletivas de notícias de jornal.	Excursões pelos dicionários.		
			Debates sobre temas polêmicos e respeito a opiniões.		Painel aberto.	
			Jogos linguísticos.		Painel integrado.	
					Explanações em assembleia de classe sobre posicionamentos críticos em simulações sociais.	

INTELIGÊNCIA LÓGICO-MATEMÁTICA – ESTIMULAÇÃO

EDUCAÇÃO INFANTIL	1º CICLO	2º CICLO	3º CICLO	4º CICLO	ENSINO MÉDIO	ENSINO SUPERIOR
Estímulos para ações da criança sobre o mundo, explorando sólidos geométricos e descrevendo-os.	Continuação progressiva das atividades da educação infantil.	Continuação progressiva das atividades do 1º ciclo.	Continuação progressiva das atividades do 2º ciclo.	Continuação progressiva das atividades do 3º ciclo.	Continuação progressiva das atividades do 4º ciclo.	Raciocinar logicamente e empregar esse raciocínio em relações espaciais e operações numéricas.
Alfabetização matemática.	Substituição da contagem mecânica pela contagem significativa.	Comparação de conjuntos.	Exploração em ambientes mais amplos da habilidade de matematizar o meio físico e social.	Exploração de diferentes habilidades operatórias na interpretação matemática.	Explorações mais amplas de atividades de matematização do ambiente.	Estímulo à criatividade na interpretação gráfica e numérica.
	Percepção dos conjuntos.	Formalização das operações matemáticas.	Uso da linguagem matemática como meio de expressão de ideias.	Uso de tangramas.	Experiências de matematização de outras disciplinas curriculares.	Estímulo à interpretação da linguagem gráfica.
	Noções de escala e seu emprego.	Excursões pela escola para a matematização da paisagem visual.	Exploração progressiva dos conceitos de quantidade.		Jogos dos Cubos e outros de E. Bono.	Estudo da lógica.
	Jogos matemáticos.	Jogos do tipo Hexágono.	Jogos operatórios grupais do tipo Jogo de Números.	Jogos do tipo Mensagens Cifradas.	Jogos operatórios do tipo Cochicho, Autódromo, Torneio, Bingo e Peritos e Interrogadores, aplicados à matemática.	
		Jogos matemáticos.	Jogos matemáticos.	Jogos matemáticos.	Concurso de redações criativas.	

115

INTELIGÊNCIA ESPACIAL – ESTIMULAÇÃO

EDUCAÇÃO INFANTIL	1º CICLO	2º CICLO	3º CICLO	4º CICLO	ENSINO MÉDIO	ENSINO SUPERIOR
Narrativas interativas.	Continuação progressiva das atividades da educação infantil.	Continuação progressiva das atividades do 1º ciclo.	Continuação progressiva das atividades do 2º ciclo e uso sistemático das atividades propostas pela alfabetização cartográfica.	Continuação progressiva das atividades do 3º ciclo e encerramento das atividades de alfabetização cartográfica.	Continuação progressiva das atividades do 4º ciclo.	Uso da espacialidade como instrumento para explorar a criatividade e a flexibilidade.
Estímulo a descrições.	Leituras com participação interativa.	Implantação do projeto de alfabetização cartográfica e uso da ficha específica.			Transformação do ensino da geografia e da história em ferramenta de estímulo à linguagem espacial.	Atividades do tipo *brainstorming*.
Separação da criatividade da mentira. Discussões e interpretações coletivas que associem o real ao imaginário.	Início da alfabetização dos signos, cartográficos ou não.	Estímulo aos desenhos livres e exploração da percepção entre o real e o imaginário.	Exploração de atividades do tipo *brainstorming*.	Jogos operatórios do tipo Quem é Quem, Simpósio e Rebuliço, que associem o domínio de conteúdos ao de habilidades.	Exploração da valorização da pluralidade e do patrimônio sociocultural.	Jogos operatórios do tipo Painel Integrado.
Estímulo de interpretações pessoais de divagações e uso de diferentes linguagens para sua expressão.	Início de aulas de natação, quando possível.	Exploração da espacialidade no trabalho com os temas transversais.	Participação interativa do aluno em atividades como cinema e teatro.	Mapas imaginários.	Estudo da anterioridade e da atualidade nos mapas.	Estudos de caso como meio de exploração da espacialidade.
	Exame analítico e descritivo de fotos antigas.	Aulas de judô e capoeira.	Jogos espaciais.	"Viagens Fantásticas".	Jogos espaciais.	Exploração de habilidades operatórias em atividades.
	Brincadeiras do tipo Volta ao Passado.	Jogos espaciais.		Jogos espaciais.		
	Jogos espaciais.					

INTELIGÊNCIA MUSICAL – ESTIMULAÇÃO

EDUCAÇÃO INFANTIL	1º CICLO	2º CICLO	3º CICLO	4º CICLO	ENSINO MÉDIO	ENSINO SUPERIOR
Início de um programa de estímulo à ampliação do domínio auditivo. Aulas de como ouvir.	Continuação progressiva das atividades da educação infantil.	Continuação progressiva das atividades do 1º ciclo.	Continuação progressiva das atividades do 2º ciclo.	Continuação progressiva das atividades do 3º ciclo.	Continuação progressiva das atividades do 4º ciclo.	Utilização da linguagem musical como instrumento de comunicação interpessoal e capacidade de expressão.
Associação entre a capacidade de audição e a descrição dos sons por meio de outras linguagens.	Jogos operatórios do tipo Caçada e Castelo dos Mil Sons.	Início de um programa de alfabetização sonora.	Aulas específicas com instrumentos musicais e experiências da "tradução" de peças sonoras para outras linguagens.	Estudos analíticos e críticos da obra de grandes compositores.	Uso de paródias para a expressão de conhecimentos curriculares e estudo de temas transversais.	Estimulação da análise e da capacidade de crítica para textos e para temas musicais.
Jogos operatórios e lúdicos do tipo Apito Oculto.	Experiências de descrição de fatos e paisagens pela linguagem sonora.	Emprego de gincanas sonoras.		Análises de "métodos" usados para a aprendizagem musical e comparação com outros "métodos pedagógicos".	Jogos operatórios diversos, sobretudo os do tipo Autódromo, Cochicho e Arquipélago, para domínio de temas musicais.	Estimulação da capacidade de classificação e seleção usando referências musicais.
Excursões específicas para a coleta de sons.	Jogos musicais.	Jogos musicais.				

INTELIGÊNCIA CINESTÉSICA CORPORAL – ESTIMULAÇÃO

EDUCAÇÃO INFANTIL	1º CICLO	2º CICLO	3º CICLO	4º CICLO	ENSINO MÉDIO	ENSINO SUPERIOR
Início de um programa de estímulo à ampliação do domínio tátil.	Continuação progressiva das atividades de educação infantil.	Continuação progressiva das atividades do 1º ciclo e formalização da alfabetização tátil, auditiva, olfativa e visual.	Continuação de atividades do 2º ciclo. Início de um programa (voluntário) de aprendizagem de costura, tricô, tecelagem, carpintaria, consertos elétricos e outras habilidades.	Continuação das atividades e dos projetos iniciados no 2º e no 3º ciclos. Início de um programa que vise ao desenvolvimento da atenção e da concentração.	Continuação das atividades e dos programas anteriormente iniciados com destaque especial ao projeto para o aprimoramento da atenção e da concentração.	Desmistificação do uso da expressão corporal e incorporação da linguagem cinestésica como ferramenta para o desenvolvimento de diferentes habilidades.
Utilização da capacidade motora como meio de expressão de mensagens.	Desenvolver na criança a sensibilidade para perceber diferentes linguagens (a linguagem dos surdos-mudos).	Jogos lúdicos do tipo Feijoada, Caranguejos, Gato e Rato e outros.	Início de um programa de transmissão de mensagens cognitivas por meio da mímica.	Exploração da pluralidade do patrimônio cultural por meio de torneios que envolvam pipas, bolinhas de gude, pião e outros.	Exploração da pluralidade do patrimônio cultural (danças rítmicas e folclóricas).	Atividades culturais do tipo *brainstorming* e estudos de caso.
Jogos operatórios e lúdicos para exploração da capacidade de audição, da percepção visual e do paladar.	Jogos lúdicos do tipo Travessia do Rio, Caixa de Surpresas, Corrente Maluca.	Jogos corporais.	Jogos corporais.	Atividades de teatro.	Atividades que enfatizem a pluralidade dos movimentos corporais.	A linguagem gestual como recurso de ampliação de um vocabulário globalizado.
	Testes dos pirulitos (*marshmallows*).					
	Jogos corporais.					

INTELIGÊNCIA PICTÓRICA – ESTIMULAÇÃO

EDUCAÇÃO INFANTIL	1º CICLO	2º CICLO	3º CICLO	4º CICLO	ENSINO MÉDIO	ENSINO SUPERIOR
Iniciação da criança na "descoberta" de que a beleza não está limitada à cópia.	Continuação progressiva das atividades de educação infantil.	Continuação progressiva das atividades do 1º ciclo e formalização do projeto de educação nas cores e na leitura artística (artes plásticas).	Continuação progressiva das atividades e dos programas iniciados no 2º ciclo.	Continuação das atividades e dos projetos anteriormente iniciados.	Continuidade dos projetos de exploração da linguagem pictórica, associando-os agora às mensagens inerentes às diferentes disciplinas curriculares.	Exploração de diferentes habilidades (sobretudo análise, síntese, crítica e capacidade de decisão) pela expressão pictórica.
Valorização da representação pictórica por meio da qual a criança percebe a natureza, os objetos e as emoções.	Jogos operatórios e lúdicos para explorar o conhecimento sobre as cores e suas nuanças.	Atividades de modelagem (uso da argila).	Exploração de diferentes habilidades operatórias por meio da expressão pictórica.	Implantação de um programa integrado de exploração e descoberta do patrimônio sociocultural brasileiro e da pluralidade cultural pelo uso da linguagem pictórica.	Exploração dos temas transversais e por meio da linguagem pictórica.	Exploração da expressão pictórica na descrição dos elementos estruturais e nas disciplinas das carreiras escolhidas.
Iniciação de um projeto de alfabetização nas cores.	Estimulação da representação da anterioridade e da posterioridade do mundo real ou imaginário.	Estímulo de "descrições" de conteúdos com o uso da linguagem pictórica.	Uso de "ferramentas" específicas do computador para criação artística.	Visitas a museus e pinacotecas.	Jogos do tipo Legendas Criativas.	
Jogos pictóricos.	Início de um projeto para o ensino da leitura artística.	Identificação das cores como meios de expressão de sentimentos e emoções.		Abertura para a descoberta das artes.		
	Jogos pictóricos.					

INTELIGÊNCIA NATURALISTA – ESTIMULAÇÃO

EDUCAÇÃO INFANTIL	1º CICLO	2º CICLO	3º CICLO	4º CICLO	ENSINO MÉDIO	ENSINO SUPERIOR
Início do processo de estimulação da criança para a descoberta do mundo natural.	Continuação progressiva de jogos e atividades iniciados na educação infantil.	Continuação progressiva de atividades e jogos desenvolvidos no 1º ciclo.	Continuação progressiva de atividades e jogos desenvolvidos no 2º ciclo.	Continuação progressiva de jogos e atividades já desenvolvidos.	Continuação das atividades dos ciclos anteriores e incorporação de suas descobertas aos conteúdos de disciplinas como ciências, geografia, história e língua portuguesa.	Estabelecimento de vínculos entre diferentes linguagens e entre as carreiras administrativas, matemáticas, jurídicas, sociais e naturalistas.
Legitimação das descobertas e do encanto pelo mundo natural.	Jogos que envolvem "aventuras interativas" entre a criança e a descoberta da natureza.	Organização dos "clubes" de caminhadas.	Exploração do mar e de sua linguagem.	Excursões a praças, jardins botânicos, zoológicos e descoberta de projetos de proteção do meio ambiente.		Grupos (voluntários) de defesa ambiental e restauração do patrimônio natural.
Atividades do tipo "acompanhar o trajeto das formigas".	Exploração de um riacho e desenvolvimento de elementos da espacialidade.	Passeios e excursões exploratórias de bicicleta.	Exploração dos efeitos da tempestade.	Uso de diferentes linguagens para explorar o mundo natural.	Acampamentos (se possível, na própria escola).	Clubes de excursões e caminhadas.
Início da preparação de uma horta coletiva.		Descoberta da noite e exploração de diferentes linguagens.	Jogos do tipo Anúncios de Publicidade, Cliber ou Feijoada para estimular a observação visual.	Uso de terrários e aquários para percepção da vida e de sua evolução.	Empregos de múltiplos jogos operatórios para explorar habilidades e conteúdos naturalistas.	
Sensibilização da criança para a proteção ambiental.	Caçadas aos monstros.	Jogos exploratórios da atenção e da observação e proteção da paisagem.	Emprego de habilidades na percepção da paisagem.			
	Jogos naturalistas.					

120

INTELIGÊNCIAS PESSOAIS – ESTIMULAÇÃO

EDUCAÇÃO INFANTIL	1º CICLO	2º CICLO	3º CICLO	4º CICLO	ENSINO MÉDIO	ENSINO SUPERIOR
Início de um projeto que leve a criança à autodescoberta e, depois, progressivamente, à descoberta do outro.	Continuação das atividades iniciadas na educação infantil.	Continuação das atividades e dos projetos desenvolvidos em ciclos anteriores.	Continuação progressiva das atividades dos primeiros ciclos e início de um projeto de alfabetização emocional.	Continuação progressiva das atividades e projetos dos ciclos anteriores.	Continuação do programa de alfabetização emocional e estabelecimento de relações entre os trabalhos complementares e as disciplinas do currículo.	Definição de "missões" para diferentes cursos, que enfatizem a tolerância, o posicionamento crítico, responsável e construtivo do homem.
Valorização e legitimação das emoções da criança.	Iniciativas de envolvimento dos pais em um programa de legitimação dos sentimentos pessoais.	Implantação de um programa de verbalização e nomeação de sentimentos pessoais.	Definição dos elementos estruturais da alfabetização emocional (meios, ambientes, agentes, programas e sistemas de avaliação).	Atividades exploradoras do autoconhecimento e da empatia. Estratégias do tipo Eleição, *Personality*, Autógrafos, Círculo de Debates e outras.	Meios exploradores da administração de emoções, do relacionamento da comunicação e uso de estratégias como símbolos, rótulos, painéis, jogos de quadrados.	Estudos de ética aplicados às disciplinas acadêmicas.
Estabelecimento de um programa de entrevistas com a criança explorando a construção de sua imagem social e comunitária.	Ajuda para que a criança perceba e identifique suas emoções.	Estabelecimento de limites e proposta de caminhos para que a criança, por seus próprios meios, resolva seus problemas emocionais.	Abertura no currículo para o "momento da avaliação emocional".	Projeto com trabalho complementar.		Enfoque da importância da pluralidade e sua aceitação como meio da paz social.
Jogos socializadores.	Uso de circunstâncias emocionais como meio de transmissão de experiências.	Jogos de percepção corporal.				

121

INTELIGÊNCIA LINGUÍSTICA – ESTIMULAÇÃO NO LAR

Do nascimento aos 8 meses	De 8 meses a 1 ano e meio	De 1 ano e meio a 3 anos	De 3 a 5 anos	De 5 a 8 anos
Converse bastante com o bebê, mesmo que ele não perceba o significado.	Estimule o bebê a pensar e dar respostas simples, do tipo "sim", "não", "gosto", "não gosto".	Ensine a criança a refletir em termos de presente, passado e futuro.	Proponha questões com respostas absurdas e estimule a criança a tentar responder às questões.	Estimule a criança a contar histórias interativas mais elaboradas. Estimule a leitura.
Valorize o balbucio do bebê. Emita e faça-o imitar sons verbais.	Pacientemente, tente ensinar o bebê a usar os artigos. Ex: "o au-au", "a mã-mã". Estimule o emprego de singular e plural.	Estimule-a a relatar as coisas que aconteceram durante o dia.	Estimule conversas com outras crianças, participe levando-as a relatar casos.	Desenvolva questões com suposições e estimule respostas amplas. Ex: O que faremos se chover hoje?
Leia historinhas, imite animais e faça caretas. Não se importe com o fato de o bebê não entender.	Procure ensinar a criança a reproduzir sons verbais. Do avião, de animais, de panelas batendo.	Estimule-a a verbalizar e dar nome a todas as coisas. Amplie o vocabulário dela.	Converse sobre programas vistos na TV. Faça a criança recontar os desenhos assistidos. Estimule a leitura.	Evite respostas monossilábicas. Explique o "porquê" das coisas, mesmo que a criança não pergunte.
Não fique calado em sua relação com o bebê. Cante enquanto o banha; conte histórias ao alimentá-lo.	Ao falar com a criança, demonstre entusiasmo. Fale com palavras e também com gestos.	Habitue-se a ler histórias. Interrompa-a e faça indagações sobre o relato. Ex: "O que faria se fosse você?"	Habitue-se a pensar em voz alta e a "dividir" com a criança decisões que envolvem esses pensamentos.	Se conhecer mais de um idioma, procure ensinar à criança sons de uma outra (ou outras) língua.
	Leia em voz alta as palavras vistas nos anúncios ou na rua.	Habitue-se a emitir sons onomatopaicos. Estimule a criança a criar frases com mais de cinco palavras.	Faça-a associar frases a figuras. Faça jogos de palavras como "o rato roeu a roupa do rei de Roma". Jogos linguísticos.	Estimule-a a escrever as palavras que sabe. Desenvolva a brincadeira de escrever bilhetes. Jogos linguísticos.

INTELIGÊNCIA LÓGICO-MATEMÁTICA – ESTIMULAÇÃO NO LAR

Do nascimento aos 8 meses	De 8 meses a 1 ano e meio	De 1 ano e meio a 3 anos	De 3 a 5 anos	De 5 a 8 anos
Deixe o bebê brincar com sólidos geométricos e outros objetos com formas diferentes.	Estimule o bebê a perceber e identificar "muito" e "pouco".	Compare conceitos matemáticos simples. Ex: a associação entre a quantidade e o número.	Amplie a compreensão sobre a quantidade e o número que a expressa. Jogos matemáticos.	Estimule brincadeiras como o jogo dos sete erros ou outros desafios semelhantes.
Alterne objetos com formas diferentes entre seus brinquedos. Ex: uma bola, um cubo, uma caneca.	Faça-o copiar círculos e quadrados. Copie um círculo e deixe-o ver. Estimule-o a imitar o desenho.	Trabalhe verbalmente alternativas do tipo muito, pouco, grande, pequeno.	Estimule a criança a ordenar objetos maiores e menores. Inicialmente com a unidade, depois, com conjuntos.	Faça a criança descobrir como se joga dominó. Eventualmente, jogue baralho com a criança.
Apresente objetos à criança, esconda-os logo depois. Estimule-a a pedi-los de volta. Alterne a forma desses objetos.	Habitue-se a contar em voz alta tudo o que estiver ao redor da criança. Ex: pratos na mesa, livros no armário etc.	Estimule a criança a verbalizar sua idade. Associe a verbalização dos números com sua demonstração com os dedos.	Faça-a entender a diferença entre "alto" e "baixo", "grande" e "pequeno" etc.	Traga caixas para casa e brinque de acertar a quantidade de objetos (livros, por exemplo) que cabe em cada caixa.
		Habitue-a a contar, mesmo que ela confunda um pouco o valor dos números.	Faça-a descobrir os dias da semana. Deixe-a brincar com jogos de computador que contenham quantidades diferentes. Jogos matemáticos.	Procure fazer a criança entender o que são horas. Experimente fazê-la representar em dígitos horas vistas em relógios analógicos.

123

INTELIGÊNCIA ESPACIAL – ESTIMULAÇÃO NO LAR

Do nascimento aos 8 meses	De 8 meses a 1 ano e meio	De 1 ano e meio a 3 anos	De 3 a 5 anos	De 5 a 8 anos
Habitue-se a imitar animais ou produzir sons. Ao ouvir o som de um carro, um avião ou uma música, imite-o com expressão verbal, mesmo que o bebê não compreenda o que você está fazendo.	Estimule o bebê a ver figuras e imite as figuras vistas. Verifique se é possível a criança imitá-la também.	Apresente perguntas sem sentido, estimulando a perplexidade da criança. Ex.: O choro é verde ou vermelho? Invente significado para cores e estimule a criança a inventar.	Crie situações do tipo: "imagine que...", "o que você acha de...", "o que você faria no lugar de...", e muitas outras. Habitue-se a folhear álbuns com velhas fotos, relatando casos. Estimule a concentração.	Ensine a criança a recortar revistas. Brinque de separar cabeças de corpos e figuras e montar novos personagens. Faça-a distinguir coisas "em cima" e "embaixo".
	Mostre livros para a criança e alterne um com outro. Faça perguntas sobre figuras e ajude-a descobrir em que livro se encontram.	Faça caretas e estimule a criança a imitá-lo. Conseguindo, amplie o volume de imitações e procure fazer a criança imitar atos mais amplos.	Antes de um passeio ou de uma ida à padaria, discuta o trajeto. Na volta, tente novo roteiro e discuta essa alternativa.	Deixe-a brincar bastante com jogos de estratégia do tipo xadrez, gamão, quebra-cabeças e outros.
	Conte pequenas histórias e, no meio delas, imite um som ou a ênfase a uma palavra. Estimule o bebê a imitá-lo.	Faça a criança olhar figuras. Colecione figuras de um mesmo animal em tamanhos diferentes e mostre para a criança.	Espalhe figuras sobre uma mesa e estimule a criança a inventar histórias com as figuras nessa ordem. Alterne a ordem das figuras e solicite nova história.	Faça-a contar seu dia. Amplie a narrativa com perguntas e estimule a comparação com o relato do dia anterior.
		Use sinais de trânsito para estimulá-la a dar algum sentido às cores.	Brinque de desenhar objetos vistos de ângulos diferentes. Jogos espaciais.	Trabalhe com a percepção do lado direito e esquerdo, anterior e posterior. Jogos espaciais.

INTELIGÊNCIA MUSICAL – ESTIMULAÇÃO NO LAR

Do nascimento aos 8 meses	De 8 meses a 1 ano e meio	De 1 ano e meio a 3 anos	De 3 a 5 anos	De 5 a 8 anos
Cante sempre para o bebê, em voz baixa e suave.	Desperte a atenção da criança para o som.	Estimule a criança a associar sons a diferentes objetos.	Grave frases ditas pela criança, faça-a ouvir frases gravadas anteriormente.	Faça-a participar de concursos de identificação de sons gravados.
Ao dar instruções simples, acrescente sons às frases. Verifique se a criança consegue perceber essas associações.	Estimule a criança a usar sons diferentes para coisas diferentes. Invente sons para as coisas.	Colecione figuras de revistas e faça-a associar essas figuras a sons. Repita a "lição" após alguns dias.	Anime-a a conversar com outras crianças. Indague sobre essas conversas. Estimule-a a imitar os amiguinhos.	Faça passeios com a criança, com um gravador, com a finalidade de "colher" sons naturais.
	Dê à criança alguns brinquedos que emitam sons e estimule sua percepção.	Caso descubra um CD de sons, brinque com a criança de tentar "pesquisar" o significado de cada um deles.	Experimente tirar o som da TV por alguns minutos e, depois, discuta o que teriam dito os personagens da cena assistida.	Procure, se possível, objetos que simulem pios de aves (em casas de caça e pesca) e use-os como meio de identificação de pássaros.
	Faça-a brincar com massa de modelar e peça a ela que "invente" sons para os objetos que criou.	Leve-a a passear e estimule-a a comparar os sons de um lugar durante o dia e esses mesmos sons à noite. Imite e faça-a imitar vozes.	Brinque com a criança, estimulando-a a perceber a diferença entre o som de percussão e o dos instrumentos de corda. Estimule-a a inventar paródias.	Apresente à criança vários tipos de música. Caso ela demonstre interesse, esta é uma idade para aprender um instrumento musical.
	Habitue-se a "teatralizar" algumas de suas conversas.	Estimule-a a participar de shows de marionetes.	Apresente velhas fotos e faça-a descrever as cenas em que aparece. Jogos musicais.	Incentive a criança a, sem exageros, falar ao telefone. Jogos musicais.

INTELIGÊNCIA CINESTÉSICA CORPORAL – ESTIMULAÇÃO NO LAR

Do nascimento aos 8 meses	De 8 meses a 1 ano e meio	De 1 ano e meio a 3 anos	De 3 a 5 anos	De 5 a 8 anos
Dê brinquedos que estimulem a capacidade motora do bebê, como os de apertar, sacudir, lançar.	Estimule a criança a tirar sapatos e roupas sem ajuda. Ajude-a apenas em último caso.	Anime a criança a imitar seu ato de escrever. Faça-a desenhar e rabiscar muito, mas não estimule o desperdício.	Mantenha uma reserva com material de desenho sempre à disposição da criança. Estimule-a a andar de velocipede.	Crie atividades que estimulem a coordenação motora, como pular, equilibrar-se, subir em cadeira e em árvore.
Ajude o bebê a fortalecer os músculos das mãos e dos dedos. Faça massagens suaves e estimule o uso de objetos como brinquedos.	Faça a criança habituar-se com o uso de talheres, inicie com a colher e não tenha pressa diante dos insucessos. Comece a ensinar a criança a dançar.	Desafie-a a tentar comer com o uso de palitos. Exercite consertos simples. Invente brincadeiras de martelar, parafusar e outras.	Leve a criança a lugares interessantes, faça-a caminhar relatando o percurso. Promova jogos ludopedagógicos diversos, do tipo Caranguejos e outros.	Dê revistas e treine a criança a usar a tesoura. Brincar de vestir bonecos (para meninos e meninas) é um excelente exercício.
Habitue-o a apontar as coisas que deseja. Valorize essas tentativas. Anime o bebê a movimentar a cabeça.	Dê à criança brinquedos de armar e montar. Use gravuras recortadas e faça-a criar histórias ordenando essas gravuras. Brinque de montar e desmontar.	Ensine-a a descobrir a diferença entre linhas grossas e finas, cores fortes e suaves. Anime-a a desenhar sempre e peça que copie desenhos que ela mesma fez em ocasiões anteriores.	Prepare em sua casa um lugar onde fiquem os objetos para escrever e desenhar. Ensine-a a guardar esses objetos e permita o acesso fácil a eles. Faça-a passar a água de uma garrafa para outra.	Deixe sempre à disposição da criança massas de modelar. Invente passatempos interessantes do tipo jogo dos erros, labirintos e outros. Faça-a dar nós em barbantes e cordas.
Anime o bebê a fazer movimentos múltiplos com as mãos, os braços, as pernas.	Estimule a criança a empilhar objetos simples. Jogos de motricidade.	Estimule-a a escovar os dentes, abotoar sem olhar o botão, amarrar os sapatos.	Descubra uma figura em uma revista e faça-a procurá-la para depois recortá-la. Jogos corporais.	Arrume o quarto de forma diferente e estimule a identificação das mudanças.

126

INTELIGÊNCIA PICTÓRICA – ESTIMULAÇÃO NO LAR

Do nascimento aos 8 meses	De 8 meses a 1 ano e meio	De 1 ano e meio a 3 anos	De 3 a 5 anos	De 5 a 8 anos
Selecione grandes ilustrações e deixe o bebê brincar com elas.	Mostre figuras de livros e diga seus nomes para a criança, estimulando a identificação das cores. Mostre entusiasmo nas leituras e nos desenhos da TV, mas restrinja-os a momentos de pouca duração.	Estimule a criança a rabiscar bastante. Peça que copie figuras e jamais se preocupe em corrigir seus "erros". Se possível, deixe-a desenhar no computador, estimule o uso do *mouse*.	Ensine a criança descrever as cores do amanhecer, da noite, do pôr-do-sol. Use os sinais de trânsito para outras relações. Converse sobre o cartão amarelo ou vermelho no futebol.	Estimule a criança a modelar com massas. Ensine-a a colorir suas modelagens e mostre-lhe o sentido das cores "vivas", "mortas", "frias" e "quentes". Jogos pictóricos.
Faça uma coleção de toalhas coloridas e deixe sempre ao alcance da visão e das mãos do bebê.	Desenhe molduras em uma folha e anime a criança a desenhar dentro delas.	Mostre figuras de livros e fale seus nomes para a criança. Faça-a imitar as figuras. Destaque números, cores e formas na conversa.	Conte histórias e estimule a criança a desenhar cenas ouvidas oralmente. Jogos pictóricos.	Estimule a criança a "descrever com ilustrações" passagens de seu dia a dia ou cenas de uma viagem.
Escolha brinquedos com muitas cores e use uma decoração vistosa para bonecos ou outros brinquedos.	Faça a criança sentir prazer em uma brisa, no contato com a água e na "maciez" de uma sombra natural.	Mostre um trecho de rua ou de um parque sujo e peça a ajuda da criança para limpá-lo. Ensine-a a contemplar a beleza da natureza limpa.	Peça a ajuda da criança em uma ida à feira ou ao supermercado. Pergunte-lhe que frutas estão mais apetitosas.	Estimule a criança a ter uma horta ou plantar uma flor. Ajude-a a descobrir o encanto das flores. Faça-a desenhar seu jardim.

INTELIGÊNCIA NATURALISTA – ESTIMULAÇÃO NO LAR

Do nascimento aos 8 meses	De 8 meses a 1 ano e meio	De 1 ano e meio a 3 anos	De 3 a 5 anos	De 5 a 8 anos
Faça com que o bebê sinta a brisa, a sombra. Passeie por lugares calmos e naturais.	Faça de uma árvore ou de uma flor uma forma de vida para a criança. Estimule-a a cuidar dessa planta.	Habitue-se a passear com a criança gravando sons naturais. Recomponha o passeio através dos sons.	Compartilhe com a criança o encanto da "descoberta" da mata, de uma praia ou de um bosque.	Convide a criança para "pesquisar as fases da lua", para identificar uma ou outra estrela.
			Faça-a sentir o vento.	Jogos pessoais.
	Estimule a criança a pesquisar "um animal". Faça-a comparar as partes do rosto do animal com as de seu próprio rosto.	Ensine a criança a não cortar plantas. Ajude-a a descobrir que uma rosa no pé é mais bonita do que em uma mesa.	Descubra um animal diferente em um livro e estimule a criança a "pesquisar" fatos sobre ele.	Ensine a criança a seguir pegadas de um animal. Leve-a a visitar aquários.
			Jogos naturalistas.	Faça sempre um diário de viagem.
	Ensine a criança a nomear os elementos da natureza. Faça-a descobrir a chuva, o sol, o vento.	Peça ajuda da criança se tiver de limpar um jardim, pescar ou cuidar de uma horta.	Em um dia frio, peça à criança que o ajude a descobrir um local mais quente. "Visite" esse local.	Compartilhe da descoberta da noite e da identificação de seus sons e de suas formas.
	Conte histórias imitando sons naturais. Tente, depois, ver se a criança identifica a passagem da história ao som repetido.	Tenha, se possível, um aquário. Faça a criança narrar coisas sobre a vida nesse aquário e saiba se sentir encantado com essas descrições.	Se possível, estimule a "adoção", por parte da criança, de uma planta ou até mesmo de um pequeno animal.	Organize um passeio a um sítio ou a uma fazenda e faça-a descobrir semelhanças e diferenças entre animais e plantas.

INTELIGÊNCIAS PESSOAIS – ESTIMULAÇÃO NO LAR

Do nascimento aos 8 meses	De 8 meses a 1 ano e meio	De 1 ano e meio a 3 anos	De 3 a 5 anos	De 5 a 8 anos
Faça sempre uma declaração de amor ao bebê, mesmo que ele "finja" não entender.	Escute o bebê com cuidado. Esforce-se por descobrir suas muitas linguagens.	Converse muito com a criança, mesmo que não exista lógica aparente entre o que um fala e o que o outro responde.	Deixe que a criança o ajude em pequenas tarefas. Valorize essa ajuda, mas estabeleça limites razoáveis. Estimule-a a cumprimentar amiguinhos por êxitos obtidos.	Estimule a criança a nomear seus sentimentos. Faça-a descobrir o significado de "alegria", "tristeza", "raiva", "frustração" etc.
Faça de sua casa ou, pelo menos, do quarto do bebê, um ambiente acolhedor, calmo.	Mostre ternura e afeto no trato de uma flor, um pequeno animal ou mesmo diante da ilustração de um bebê ou de uma cena meiga.	Faça a criança descobrir em desenhos uma expressão de alegria, outra de tristeza, expressões de calma e de agitação.	Seja sempre um atento ouvinte dos relatos da criança. Procure não assumir posições e estimule-a a colocar-se no lugar do outro.	Assista a filmes com a criança e faça comentários sobre as emoções registradas. Peça sua opinião.
Procure jamais expor o bebê a seus estresses. Quando estiver muito cansado ou emocionalmente perturbado, evite passar essas emoções ao bebê.	Sempre que possível, deixe a criança livre para brincar com outras crianças. Estimule sua socialização e valorize sentimentos de empatia.	Saiba "legitimar" as emoções da criança. Evite, em um momento de raiva, dizer, por exemplo: "Não fique com raiva."	Comente opiniões sobre fatos, evitando o maniqueísmo do "certo" e do "errado". Faça-a descobrir que as pessoas são diferentes. Jogos pessoais.	Elogie com moderação. Faça-a descobrir as coisas nas quais é boa. Estimule sua autoestima e faça-a pensar sobre autoconhecimento.
Desenvolva sempre estímulos cinestésicos, mas com moderação. Saiba abraçar e beijar com afeto sem exagero.		Se perceber que a criança está com algum problema, indague se ela quer falar sobre ele. Respeite a negativa.	Se possível, permita que a criança tenha um espaço próprio e preserve seu direito ao segredo.	Ajude a criança a lidar com os sentimentos dando nome ao que está sentindo.

INTELIGÊNCIA	HABILIDADE	JOGOS E/OU ESTRATÉGIAS
LINGUÍSTICA	VOCABULÁRIO	Combinar/Arrumar/Teatrinho/Frutas do Pomar/De A a Z e outros.
	FLUÊNCIA VERBAL	Quebra-cabeça 1/Telefone sem fio/Imagens/Bate-papo e outros.
	GRAMÁTICA	Loto variado/Bingo Gramatical/Dominó Especial/É a minha vez e outros.
	ALFABETIZAÇÃO	De A a Z/Alfabeto Vazado/Dominó *Puzzle*/Jogo da Memória e outros.
	MEMÓRIA VERBAL	Jogo do Telefone/Primeiras Frases/Primeiras Palavras/Forca.
L. MATEMÁTICA	CONCEITUAÇÃO	Jogo dos Cubos/Jogo dos Anéis/Jogo das Latas/Garrafas Coloridas e outros.
	SISTEMA DE NUMERAÇÃO	Tampinhas coloridas/Dominó/Jogo da Escada/Colar de Botões e outros.
	OPERAÇÕES e CONJUNTOS	Formas Vazadas/Jogo do Coelhinho/Caixa de Bolinhas/Dadinhos e outros.
	INSTRUMENTOS DE MEDIDA	Jogo da Pizza/O Relógio/A Hora da Balança/Fita Métrica/Brincando com Fotos.
	PENSAMENTO LÓGICO	Batalha Naval/O detetive.
	MATERIAIS ESPECÍFICOS	Blocos Lógicos (Dienes).
	MATERIAL MONTESSORI	Material específico para a inteligência lógico-matemática.
ESPACIAL	LATERALIDADE	Simetria.
	ORIENTAÇÃO ESPACIAL	Ordenando Palitos/Palito-Cartão/A Casa e seu Lugar/Simetria/Encontre o Ímpar.
	ORIENTAÇÃO TEMPORAL	Ampulheta/As fotos da Família/Jogo da Sucessão/Quem conta?/Memória.
	CRIATIVIDADE	Damas/Arames Coloridos/*Playmobil*/Xadrez Francês/Uma Cara e Caretas e outros.
	ALFAB. CARTOGRÁFICA	Rosa dos Ventos/Leitura de Signos/Escala/Construção de Plantas/Mapeando.
MUSICAL	PERCEPÇÃO AUDITIVA	Apito Oculto/Sons do Pátio/O Som do Surdo/Chocalhos/Viajando de Trem.
	DISCRIM. DE RUÍDOS	O Filme do Som/O Castelo de Mil Sons e outros.
	COMPREENSÃO DE SONS	Cabeça de Papel e outros.
	DISCRIMINAÇÃO DE SONS	A Caçada/Montagem e Desmontagem/Cabeça de Papel/Classificasom.
	ESTRUTURA RÍTMICA	Encenasom/Diversos e outros.

INTELIGÊNCIA	HABILIDADE	JOGOS E/OU ESTRATÉGIAS
CINESTÉSICA CORPORAL	MOTRICIDADE – COORDENAÇÃO MANUAL	Brincando no Trilho/Perneta/Saltitando/Bolão/Peteca/Arremessando e outros.
	COORDENAÇÃO VISOMOTORA E TÁTIL	Zarabatana/Arco e Flecha/Boliches/Atingindo Alvos/Transferindo Imagens e outros.
	PERCEPÇÃO DE FORMAS E ESTEREOGRAFIA	Jogo mascarado/Miniatura/Formas Superpostas/Geometria ao Meio/Figura-Fundo.
	PERCEPÇÃO DE PESO E TAMANHO	O Jogo do Peso/O Jogo da Temperatura/Mosaico/Encaixando Formas/Balançando.
	PALADAR E AUDIÇÃO	As Balas Coloridas/O Castelo dos Mil Gostos.
NATURALISTA	JOGOS P/ CURIOSIDADE	O Que o Mestre Mandar/Coleções Naturais/Descobrindo Tocas/Explorando a Natureza.
	JOGOS DE EXPLORAÇÃO	A Presa e o Predador/Prontidão para Explorar/Caça ao Tesouro/Sherlock Moderno.
	JOGOS DE DESCOBERTA	A Cozinha Mágica/Aponte o que Ouviu/Perguntas Trocadas/Passeio de Carruagem.
	JOGOS DE INTERAÇÃO	Partilhando Criativamente e outras atividades.
	JOGOS DE AVENTURAS	A Beira do Abismo/Partilhando Aventuras e outros.
PICTÓRICA	RECONHECIMENTO DE OBJETOS	Canudos Coloridos/As Contas da Caixa/Fichas Esparramadas/ Caminhão de Carga.
	RECONHECIMENTO DE CORES	Sacola Preciosa/Casinha/Tabuleiro de Conceitos/Aquarela/Botões Coloridos.
	PERCEPÇÃO DE FORMAS E TAMANHOS	Tabuleiro de Geometria/Blocos Criativos/Aqui e Ali/Formas Geométricas.
	PERCEPÇÃO DE FUNDO	Barbantes Coloridos/Vazados Geométricos/Criatividade/Pega-Varetas/Posições.
	PERCEPÇÃO VISOESPACIAL	Linea/Transparências Didáticas/Lê com Lé.
PESSOAIS	PERCEPÇÃO CORPORAL	AlfaBeto/Quebra-Cabeças - Figuras Humanas/Bonecos Articulados/Arlequim.
	AUTOCONHECIMENTO E RELAÇÕES SOCIAIS	Eleição/Círculo de Debates/Personality/Berlinda.
	ADMINISTRAÇÃO DE EMOÇÕES	Painel de Fotos/Dramatização/Opção de Valores/O Jogo das Mãos.
	ÉTICA E EMPATIA	Autógrafos/Rótulos/Símbolos e outros.
	AUTOMOTIVAÇÃO, COMUNICAÇÃO, INTERPRETAÇÃO	Quem Conta um Conto/Narciso/Change/Quadrados da Cooperação.

Obs: Os jogos citados poderão ser encontrados em Antunes (1999).

21
O USO DAS INTELIGÊNCIAS

Howard Gardner cita em uma de suas obras um trecho de uma palestra realizada em 1980 por Robert S. McNamara, então presidente do Banco Mundial. Nessa oportunidade, ele questionou a política metalista de financiamentos e lembrou:

> O desenvolvimento, claramente, não é o progresso econômico medido em termos de produto nacional bruto. Ele é algo muito mais básico: é essencialmente o desenvolvimento humano, ou seja, a realização do indivíduo e de seu potencial inerente.

As palavras de McNamara parecem dar a medida da importância do uso das inteligências. Esse uso pode nos levar a ganhar mais dinheiro, obter maior prestígio profissional, definir com mais clareza o sentido de nossa atividade humana no lar e no trabalho, mas seguramente não parece ser essa a grande meta de um crescimento mais consistente das inteligências múltiplas.

Essa meta é essencialmente o desenvolvimento humano, o crescimento da pessoa para ela mesma e para suas relações, a percepção de que possui o mesmo potencial genético de Gandhi, Shakespeare, Picasso, Einstein, Edison, Villa-Lobos, Antônio Conselheiro ou Vinicius de Moraes e que, portanto, tem pleno potencial para usufruir todo encanto do mundo. A descoberta de que a criatura restrita, limitada, pequenina no descontrole de suas emoções em que a visão da inteligência geral nos fez crer sofre profundo abalo com os estudos neurológicos recentes e, dessa bagagem científica, surge a descoberta de um novo ser, estimulável em múltiplas inteligências e pronto para transformar em suas as habilidades que, anos atrás, apenas apreciava em alguns.

O homem limitado e restrito do início do século XX é gloriosamente substituído pela ciência do nascer do século XXI por um novo homem, múltiplo, holístico, ilimitado na capacidade de expansão de seu cérebro. Alguém que, se quiser, tem muito pouco a perder e todo um futuro a ganhar.

Essas observações parecem tornar dispensável uma análise sobre as eventuais vantagens do uso das múltiplas inteligências tanto no plano doméstico quanto no plano profissional. Ao contrário, nada existe de mais limitado em termos de inteligências do que buscar seu desenvolvimento apenas por sua finalidade.

Ao descobrir que podemos construir imagens verbais muito mais amplas e completas do que as que usualmente construímos, ao sentir que a velha matemática dos livros didáticos pode saltar para a redescoberta da matematização de nossas relações ambientais, ao soltar os limites de nossa criatividade e, através dessa libertação, alcançar planos mais amplos de uma visão de mundo por meio de nossa inteligência espacial, ao aceitar que somos limitados, apenas por enquanto, no domínio de nossa concentração, de nossa sensibilidade tátil, de nossa audição ou de nosso paladar, que muito pouco caminhamos na descoberta da natureza ou no controle de nossas relações inter e intrapessoais, simplesmente estamos dando uma resposta coerente a por que estimular nossas inteligências, as inteligências de nossos filhos ou as de nossos alunos.

É importante observar que esse homem holístico que o estímulo das inteligências múltiplas quer despertar, na realidade, já existe. Existe, porém, em mil homens de diferentes lugares que podem vir a ser admiravelmente sintetizados em cada uma das pessoas que nos cercam. Assim, a alfabetização matemática e musical é uma realidade para a criança japonesa, como o aprimoramento da inteligência linguística alcança níveis excelentes em algumas escolas religiosas do Oriente Médio, onde são ensinados os cânticos do Corão. O morador do pantanal brasileiro desenvolve treinos sutis para aperfeiçoar seu poder de audição e de identificação de sinais em sons que parecem comuns para a maioria das pessoas que visitam a região, assim como alguns garotos de favelas brasileiras aprendem sinais expressivos de comunicação por meio de movimentos cinestésicos. O que se pretende com um programa de desenvolvimento das inteligências múltiplas é resgatar essa imensa quantidade de estratégias e métodos presentes em diferentes culturas, e levá-los aos alunos convencionais, em escolas institucionalizadas, por meio da aceitação do paradigma construtivista de aprendizagem. Assim, essa linha de trabalhos talvez nada tenha de "nova", pois essas estratégias são, aqui e ali, plena e eficazmente produzidas. Sua missão, entretanto, é trazê-las ao cotidiano para fazer de cada homem mil homens. Descobri-las é como aventurar-se pelos desafios da mortalidade e limites do homem, é dar uma olhada além da fronteira da rotina.

Basta querer.

CONCLUSÃO

Não sei como, mas sei que, volta e meia, batem em meu cérebro as palavras mágicas de Manuel Bandeira, um príncipe da inteligência linguística brasileira: "Eu faço versos como quem chora/De desalento, de desencanto/Fecha meu livro/Se por agora/Não tens motivo nenhum de pranto".

Fiz esse pequenino livro pretendendo inflamar estudantes universitários, pais e professores a prestar cuidadosa atenção à multiplicidade de capacidades biológicas e psicológicas das pessoas e a se descobrirem aptos a essa estimulação em si mesmos ou em outros. Não creio ter apresentado obra revolucionária e tenho plena convicção de que todos que se debruçarem com interesse sobre os livros de Gardner e de Goleman sairão bem mais nutridos de informações e dessa crença no poder humano de mudança, mas tenho uma secreta paixão, uma imensa vontade de que universitários e professores aprendam a descobrir a beleza da vida e a fantástica mensagem inerente a uma nova educação. Quase que plagiando Bandeira, peço que fechem meu livro se, por agora, não lhes assaltar qualquer desejo incendiário.

São Paulo, Itamambuca e
Campos do Jordão, dezembro de 1997

BIBLIOGRAFIA

AEBLI, Hans (1974). *Didática psicológica*. 2ª ed. São Paulo: Companhia Editora Nacional.

AGUIAR, S. (1993). "Informação, conhecimento e inteligência", *Byte*, s/n, set. São Paulo: Globo.

ANTUNES, Celso (1987). *Manual de técnicas de dinâmica de grupo, de sensibilização, de ludopedagogia*. Petrópolis: Vozes.

_____ (1996a). *A grande jogada*. 3ª ed. Petrópolis: Vozes.

_____ (1996b). *Alfabetização emocional*. 3ª ed. São Paulo: Terra.

_____ (1997). *A inteligência emocional na construção do novo eu*. 3ª ed. Petrópolis: Vozes.

_____ (1998). *Professores e marinheiros*. Petrópolis: Vozes.

_____ (1999). *Jogos para a estimulação das múltiplas inteligências*. Petrópolis: Vozes.

BLOON, D.A. *et al*. (1972). *Taxionomia de objetivos educacionais*. Porto Alegre: Globo.

BONOS, Edward de (1995). *Mind pack – An interactive guide to expanding your thinking skills – With games, puzzles and exercises*. Grã-Bretanha: Dorling Kindersley.

BRUNNER, J.S. (1972). *O processo da educação*. 3ª ed. São Paulo: Companhia Editora Nacional.

COSTA, Maria Luiza Andreozzi da (1997). *Piaget e a intervenção psicopedagógica*. São Paulo: Olho dágua.

CUNHA, Nylse Helena S. (1981). *Material pedagógico – Manual de utilização*. V. I e II. Rio de Janeiro: Ministério da Educação e Cultura. Convênio MEC/Cenesp/Apae de São Paulo.

DAVIS, M.D. (1973). *Teoria dos jogos*. São Paulo: Cultrix.

DEWEY, John (1991). *Como pensamos*. São Paulo: Pioneira.

ELIAS, Marisa Del Cioppo (1997). *Célestin Freinet: Uma pedagogia de atividade e cooperação*. Petrópolis: Vozes.

FREIRE, Paulo (1997). *Pedagogia da autonomia: Saberes necessários à prática educativa*. São Paulo: Paz e Terra.

GARDNER, Howard (1995a). *A criança pré-escolar – Como pensa e como a escola pode ensiná-la*. Porto Alegre: Artes Médicas.

_____ (1995b). *Estruturas da mente – A teoria das inteligências múltiplas*. Porto Alegre: Artes Médicas.

_____ (1996a). *Inteligências múltiplas – A teoria na prática*. Porto Alegre: Artes Médicas.

_____ (1996b). *Mentes criativas – Uma anatomia da criatividade vista através da vida de Freud, Einstein, Picasso, Stravinsky, Eliot, Graham e Gandhi*. Porto Alegre: Artes Médicas.

_____ (1996c). *A nova ciência da mente*. São Paulo: Edusp.

_____ (1997). *As artes e o desenvolvimento humano*. Porto Alegre: Artes Médicas.

GOLEMAN, Daniel (1996). *Inteligência emocional*. São Paulo: Objetiva.

GOTTMAN, John e DeCLAIRE, Joan (1997). *Inteligência emocional e a arte de educar nossos filhos*. São Paulo: Objetiva.

GRANATO, M.A.G. et al. (1992). *El juego en proceso de aprendizage*. Buenos Aires: Humanitas.

HUIZINGA, Johan (1984). *Homo ludens*. Madri: Alianza/Emecé.

LÉVY, Pierre (1993). *As tecnologias da inteligência: O futuro do pensamento na era da informática*. Rio de Janeiro: Editora 34.

LOUGHLIN, Alfredo J. (1971). *Recreodinámica del adolesacente*. Buenos Aires: Libraria del Colegio.

MACHADO, Nilson José (1996). *Epistemologia e didática*. 2ª ed. São Paulo: Cortez.

MINSKY, Marvin (1989). *A sociedade da mente*. Rio de Janeiro: Francisco Alves.

OLIVEIRA, Marta Kohl de (1993). *Vygotsky*. São Paulo: Scipione.

PAPALIA, Diane E. e OLDS, Sally W. (1998). *O mundo da criança – Da infância à adolescência*. 2ª ed. São Paulo: Makron Books.

PIAGET, Jean (1970). *Psicologia e pedagogia*. São Paulo: Companhia Editora Forense.

_____ (1971a). *Formação do símbolo na criança*. Rio de Janeiro: Zahar.

_____ (1971b). *Nascimento da inteligência*. Rio de Janeiro: Zahar.

_____ (1989). *Psicologia da inteligência*. Rio de Janeiro: Fundo de Cultura.

RÓMAN, José Maria; MUSITU OCHOA, Gonçalo; PASTOR, Estanislao *et al.* (1980). *Métodos activos para enseñanzas médias y universitárias*. Buenos Aires: Cincel/Kapeluzs.

RONCA, Antonio Carlos Caruso e ESCOBAR, Virgínia Ferreira (1982). *Técnicas pedagógicas – Domesticação ou desafio à participação*. Petrópolis: Vozes.

RYLE, Gilber (1997). *El concepto de lo mental*. Buenos Aires: Paidós.

TERZI, Cleide do Amaral e RONCA, Paulo Afonso Caruso (1995). *A aula operatória e a construção do conhecimento*. São Paulo: Edesplan.

TURBAYNE, Colin Murray (1982). *El mito de la metáfora*. Cidade do México: Fondo de Cultura Económica.